LE BESTIAIRE DE L'ÉPOUVANTEUR

JOSEPH DELANEY

illustré par
JULEK HELLER

Traduit de l'anglais (Grande-Bretagne)
par Marie-Hélène Delval

bayard jeunesse

À Marie
J. D.

À Anne
J. H.

Ouvrage publié originellement par The Bodley Head un département
de Random House Children's Books sous le titre *The Spook's Bestiary*
Texte © 2010, Joseph Delaney
Illustrations © 2010, Julek Heller
Traduction française © 2013, Bayard Éditions
18, rue Barbès, 92128 Montrouge Cedex
ISBN : 978-2-7470-3713-6
Dépôt légal : juin 2013
Loi n° 49-956 du 16 juillet 1949 sur les publications destinées à la jeunesse
Reproduction même partielle interdite
Imprimé en Espagne

SOMMAIRE

Chers lecteurs

Mon nom est John Gregory. En tant qu'épouvanteur, chargé de lutter contre les fantômes, spectres, gobelins, sorcières et autres créatures errant sous le couvert de la nuit, je parcours le Comté depuis tant d'années que j'en ai perdu le compte. Comme tous ceux qui exercent cette spécialité, je suis le septième fils d'un septième fils. J'ai reçu, de ce fait, le don de parler aux morts, et possède une certaine résistance aux maléfices des sorcières.

Tout épouvanteur se doit de former des apprentis, afin que l'art de lutter contre l'obscur se perpétue de génération en génération. Une part importante de notre activité consiste à rassembler, accroître et transmettre notre savoir, afin de tirer profit des leçons du passé. Ce que vous allez lire est mon Bestiaire, mon répertoire personnel des êtres de l'obscur que j'ai pu rencontrer, augmenté des enseignements tirés de mes erreurs. Je n'ai rien dissimulé, et j'espère que mon successeur poursuivra cette tâche.

$\mathcal{L}$e combat doit continuer. Nous avons encore beaucoup à apprendre sur nos ennemis, d'autant qu'il peut sans cesse surgir des adversaires d'un type inédit. Mais nous gardons courage, car l'expérience prouve que nous trouvons toujours la parade à chaque nouvelle menace. Tant que je me sentirai capable de tenir une plume, je continuerai d'emmagasiner des connaissances et de consigner mes méthodes de travail. Puisse ce Bestiaire s'enrichir grâce aux futurs épouvanteurs qui marcheront sur mes traces !

John Gregory
de Chipenden

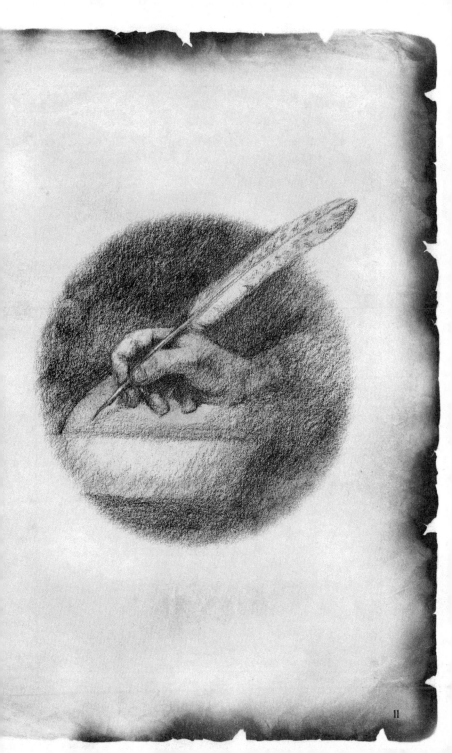

L'obscur

L'OBSCUR

On se perd en conjectures quant à l'origine de l'obscur. Peut-être existait-il dès la création du monde pour s'opposer à la lumière, chacun des deux s'efforçant d'installer sa domination. Une seconde hypothèse est qu'il s'agissait d'une graine minuscule qui a germé et grandi à mesure que ses racines se développaient, se nourrissant de la faiblesse humaine. Pour moi, les humains sont également responsables, si on en juge par les cultes qu'ils rendent encore aujourd'hui à l'obscur et à ses serviteurs.

Quoi qu'il en soit, le pouvoir de l'obscur grandit, et ses partisans menacent de plonger le monde pour une longue période dans un âge de terreur et de barbarie.

AFFRONTER L'OBSCUR
(Comment s'y préparer et quels moyens utiliser)

1. La première chose est de se mettre en condition en maîtrisant ses émotions : respirer lentement, profondément, fixer sa pensée sur la tâche à accomplir. L'obscur se nourrit de la peur des humains, il y puise sa force. Un épouvanteur

doit être prêt à mourir s'il le faut. Une fois ce fait accepté, la peur s'apaise généralement d'elle-même. Notre devoir envers le Comté compte bien plus que notre propre vie.

2. Le jeûne est bénéfique. Il éclaircit l'esprit et rend moins vulnérable à la magie noire. Il convient cependant de garder un juste équilibre, car notre travail exige une grande forme physique. Avant d'affronter l'obscur, je préserve mes forces en mangeant de petits morceaux de fromage du Comté*.

3. Par chance, certaines substances limitent les capacités des créatures maléfiques, leur causent de violentes douleurs et – parfois – les détruisent. Un mélange de sel et de limaille de fer est particulièrement efficace contre les gobelins et les sorcières. On l'utilise pour les tuer ou les entraver. Les sorcières redoutent le bois de sorbier, et un alliage

* Je m'étais installé depuis peu dans la maison de Chipenden lorsque j'appris que le fameux fromage du Comté était un pur produit du village et de ses environs. John Gregory

d'argent peut blesser les plus puissants serviteurs de l'obscur. C'est pourquoi un épouvanteur s'équipe d'un bâton en sorbier, muni d'une lame rétractable en acier mêlé d'argent.

4. Une chaîne en argent, qui sert à entraver une sorcière, est une arme indispensable. Si elle n'est pas radicale contre les démons, elle les neutralise provisoirement, le temps qu'une bonne lame en vienne à bout.

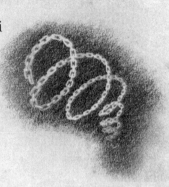

5. Cependant, le bon sens, le courage, ainsi que les talents et les connaissances transmis de génération en génération restent les meilleures armes contre l'obscur. Un épouvanteur n'use pas de magie. Notre magie, c'est notre habileté, nos compétences, et les leçons que nous tirons de nos erreurs et de nos réussites.

J'en ai soupé de ce fromage jaune ! Pour moi, il représente le pire aspect du boulot. Je ne sais pas si je le supporterai plus longtemps.
Andy Cuerden, apprenti.

Andrew Cuerden m'a quitté un mois après avoir ajouté cette remarque. Notre tâche exige une parfaite discipline. Ce garçon était trop à l'écoute de son ventre et manquait de motivation.   John Gregory

Un lance-cailloux en colère

LES GOBELINS

On compte plus de gobelins dans le Comté que partout ailleurs. On les classe en plusieurs catégories. Si certains se montrent tout au plus agaçants, d'autres peuvent causer de sérieux dommages tant aux personnes qu'à leurs biens. Dans certains cas, ils sont même mortellement dangereux.

Les gobelins se choisissent un repaire dans une cave, une grange ou un arbre creux. Ils représentent toujours une nuisance pour qui vit alentour. Généralement invisibles, ils peuvent être vus des épouvanteurs, sauf s'ils sont particulièrement puissants. Pour exprimer leur contentement ou leur colère, ils se montrent sous l'apparence d'un chat, d'un cheval ou d'une chèvre. On découvre parfois des signes de leur présence : des empreintes de pattes sur un carrelage fraîchement lavé ou des traces de griffes sur un meuble.

Au contraire des autres gobelins, les esprits frappeurs ne se matérialisent pas. Pour effrayer les gens, ils s'enduisent de boue ou se couvrent de feuilles, révélant ainsi leur véritable aspect. Avec leurs bras multiples, ils sont tout bonnement terrifiants.

Les gobelins utilisent des leys* pour voyager d'un endroit à l'autre. Lorsqu'ils se déplacent, on les appelle *les gobelins libres*. Il arrive que des perturbations – par exemple à la suite d'un tremblement de terre, même à des lieues de distance – maintiennent un gobelin sur place. Il est alors *naturellement entravé*. Cette situation le rend irascible et nécessite l'intervention d'un épouvanteur.

Les gobelins comprennent le langage des humains. La plupart, cependant, communiquent plus volontiers par des actes qu'avec des mots. Mécontents, ils jettent ou brisent des objets, arrachent les plants de pommes de terre, laissent le bétail s'échapper en ouvrant les portes des enclos. Satisfaits, en revanche, ils nettoient les étables, lavent la vaisselle et la rangent avec soin dans le placard.

Les gobelins capables de parler restent toutefois difficiles à gérer, car doués d'une intelligence supérieure. Ce talent, ajouté à leur tempérament malveillant, fait d'eux des êtres redoutables. Les affronter nécessite la plus grande prudence. Les tuer est presque toujours la seule solution.

* Les leys sont des lignes de pouvoir souterraines, des sortes de routes invisibles. Plusieurs se croisent sous ma maison de Chipenden, et l'on entend un sourd grondement quand un gobelin passe par là. Cela m'a valu de nombreuses nuits d'insomnie.
Paul Preston, apprenti

LES DIFFÉRENTS TYPES DE GOBELINS

Les briseurs d'os

Les briseurs d'os se nourrissent de la moelle d'animaux morts. Il leur arrive cependant de prendre goût aux squelettes de personnes récemment enterrées. C'est extrêmement perturbant pour les parents des défunts (et pour le malheureux fossoyeur, chargé de rassembler les fragments de cadavres disséminés à travers le cimetière). Pire encore, les briseurs d'os peuvent s'attaquer aux vivants, qu'ils dépouillent de leur chair alors que leur victime a toute sa conscience. Le cas est rare, mais ça s'est vu.

L'un des apprentis d'Henry Horrocks, l'épouvanteur qui devait devenir mon maître, fut tué par un briseur d'os. Il se trouve que je passais par là au moment où Henry s'apprêtait à mettre le pauvre garçon en terre.

Son corps gisait près de la fosse. Je n'avais jamais vu une telle expression de terreur sur le visage d'un mort. Le gobelin, qui voulait lui prendre les os du pouce, lui avait arraché la main à hauteur du poignet. Le malheureux était mort autant de commotion que d'hémorragie. C'est une vision que j'emporterai dans la tombe. Ce gobelin était manipulé par une sorcière, qui se servait de lui pour rassembler les os de pouces nécessaires à ses rituels magiques. Lorsque deux créatures de l'obscur coopèrent ainsi, elles sont d'autant plus redoutables. Même un épouvanteur expérimenté comme Henry peut sous-estimer le danger, d'où le décès de son apprenti.

Les déplaceurs d'églises

Ils emportent les fondations des églises en cours de construction pour les déposer ailleurs, dans le but d'éloigner les fidèles de leur repaire. On compte plusieurs endroits, dans le Comté – par exemple à Leyland et à Rochdale –, où la population a accepté le nouveau site choisi par un gobelin. Ils déplacent rarement les fondations de tavernes, de maisons ou de fermes. Étant des créatures de l'obscur, ils ne supportent pas la proximité d'un lieu de culte.

Les pilleurs de tombes

Ceux-là renversent les pierres tombales, exhument les cadavres et brisent les cercueils. Comme tous ceux de leur espèce, ils se nourrissent de la terreur qu'ils inspirent et tirent des forces supplémentaires de la douleur et de l'outrage causés aux endeuillés. Ils volent aussi les ossements pour les cacher dans des grottes profondes, où il est impossible de les retrouver. Au contraire des briseurs d'os, ils ne consomment pas de moelle. À ce jour, aucun épouvanteur n'a su découvrir la raison d'un tel comportement.

Les gobelins velus

Ils prennent l'apparence de chevaux, de chats, de chèvres ou de chiens noirs. Ceux qui appartiennent à ces deux dernières catégories sont particulièrement retors et malveillants. Les gobelins-chats ou gobelins-chevaux*, en revanche, peuvent se montrer amicaux. Ils aident à l'occasion au ménage et au travail de la ferme en échange d'un lieu de séjour tranquille.

*Je suis né près d'Hackensall Hall. C'est là qu'à l'âge de cinq ans, j'ai aperçu un gobelin-cheval. Pour la première fois, je découvrais que je possédais le don de voir ce genre de créature. Mon père avait quitté ma mère pour une autre femme. Des années plus tard, j'ai appris qu'il était lui aussi un septième fils.
James Fowler, apprenti

Ce genre de gobelin peut apparaître sous n'importe quelle forme, bien que le cas soit rare. Il se repaît alors de la terreur de ses victimes pour augmenter ses pouvoirs. J'ai combattu un jour un gobelin qui prenait l'aspect du Diable, cornes, queue et sabots compris. Celui-ci parlait ; c'était un être cauchemardesque.

Gobelin velu

Les frappeurs

Les frappeurs effraient les gens en cognant contre les murs, en tambourinant aux portes et en provoquant toutes sortes de nuisances. Si vos portes et vos volets sont hermétiquement fermés pour la nuit, mais que votre sommeil soit perturbé par des coups et des bruits sourds, vous partagez

probablement votre maison avec un frappeur. Ils sont imprévisibles et potentiellement dangereux, capables de se muer un jour, sans avertissement, en lance-cailloux.

L'un des frappeurs les plus célèbres s'était fixé à Staumin. Il causa longtemps d'importantes perturbations dans l'église et les manoirs alentour. Il fut finalement entravé par un prêtre. Il ne s'agissait pas d'un membre du clergé ordinaire, mais d'un épouvanteur bien entraîné, le père Robert Stock*, qui avait été un de mes premiers apprentis et était ensuite entré dans les ordres.

---

* Le père Stock a été tué à Read Hall, près de Pendle, par la sorcière Wurmalde. C'était un rude travailleur et un prêtre d'une grande foi, en même temps qu'un épouvanteur talentueux. Pendant des années, il a su protéger sa paroisse de Downham contre les sorcières de Pendle.
Tom Ward, apprenti

Les éventreurs

Ils sont sans conteste les plus dangereux de tous.
Ils commencent comme *éventreurs de bétail*, s'abreuvant du sang des bovins, chevaux, moutons et
cochons. C'est alors une rude épreuve pour le
fermier, qui voit son cheptel dépérir peu à peu. Ce
type de gobelin vide lentement de son sang une
victime choisie, jusqu'à ce que le cœur de l'animal
cesse de battre.

Les pires d'entre eux sont capables de tuer une
dizaine de bêtes en une seule nuit. Ils leur ouvrent
le ventre ou leur coupent la gorge, ne buvant à
chaque fois qu'une petite gorgée. Ils tuent pour
le plaisir, et leurs macabres hurlements courent à
travers les champs. Passé ce stade, ils deviennent de
véritables éventreurs, qui s'attaquent aux humains.
Ils tâchent de les piéger dans un lieu d'où ils ne

peuvent s'échapper*. Ils leur prennent jour après jour de faibles quantités de sang, mais finissent toujours par s'en gaver jusqu'à plus soif, de sorte que leur victime meurt. Le sang humain devient alors, pour le gobelin, un mets de choix. Après y avoir goûté, il tuera et tuera encore tant qu'un épouvanteur n'aura pas mis fin à ses activités.

* J'ai tenté une fois de sauver un prêtre pris au piège par un éventreur. La créature avait percé le sol de l'église et entraîné la jambe de sa victime dans la faille. Elle la vidait lentement de son sang. Bien que j'aie réussi à libérer le prêtre et à entraver le gobelin — mon premier ! —, l'homme mourut des suites de l'amputation qu'il avait dû subir pour être sorti de là. Tom Ward

Ce prêtre était mon frère. En dépit de nos mauvaises relations, sa mort m'a profondément peiné. Il avait déclenché une suite d'évènements malheureux en tentant de se débarrasser seul du gobelin à l'aide d'une cloche, d'un livre et d'une chandelle. Pourquoi s'était-il mêlé de ça ? Face à une menace de l'obscur, la seule réaction sensée est de faire appel à un épouvanteur. John Gregory

Les lance-cailloux

Ces gobelins jettent des cailloux, des pierres et même des rochers, pour chasser les habitants du domaine qu'ils se sont choisi. Des pluies de pierres s'abattent parfois sur un village ou une maison pendant des semaines. Ces attaques, souvent meurtrières, font des lance-cailloux des gobelins difficiles à vaincre. S'il s'est rendu visible, un lance-cailloux en colère, avec ses six énormes bras balançant des rochers, est un spectacle terrifiant. Tous doivent être impérativement entravés ou tués.

Les siffleurs

Particulièrement friands de la peur qu'ils inspirent, ces gobelins s'attaquent aux personnes les plus fragiles. Ils sifflent et hululent dans les cheminées et à travers les trous de serrures, produisant des sons aigus qui mettent les nerfs de leurs victimes à rude épreuve. Certaines perdent la raison, d'autres se donnent la mort. Les plus sages ont recours à un épouvanteur.

CONDUITE À TENIR FACE À UN TYPE INCONNU DE GOBELIN

Il convient de respecter quatre phases, faciles à mémoriser grâce au sigle NIET (négocier, intimider, entraver, tuer).

PHASE 1 : NÉGOCIER

Au cours de cette première étape, on cherche à comprendre pourquoi le gobelin est devenu importun et on lui fait une offre. On lui promet par exemple le respect des gens qu'il tourmente ou même leur gratitude. Il est tout à fait possible de vivre sous le même toit qu'un gobelin et de s'en trouver bien. Beaucoup de ces créatures sont sensibles à la flatterie. Pour illustrer ce cas, je vous propose ci-dessous le récit de ma première tentative de négociation avec un gobelin.

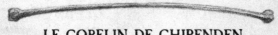

LE GOBELIN DE CHIPENDEN

Après la mort de mon maître, Henry Horrocks, je m'étais installé dans la maison de Chipenden pour y exercer mon métier. Peu de temps après, on m'appela. Depuis quelque temps, un gobelin tourmentait les ouvriers de la menuiserie locale.

Un jeune épouvanteur se doit d'asseoir sa réputation, et l'idée d'avoir à faire mes preuves si tôt et si près de chez moi me rendait nerveux.

Quand les employés se furent retirés, en fin de journée, je m'enveloppai de ma cape et entamai ma veille dans le vaste atelier, avec une seule chandelle. Je me préparais à affronter un frappeur, car les hommes qui ouvraient les locaux le matin et les fermaient le soir entendaient des coups, des tambourinements et divers bruits sourds. Ils constataient que du matériel changeait de place pendant la nuit, ils retrouvaient des outils dans des endroits inattendus.

J'avais du sel dans la poche droite de mon pantalon, de la limaille de fer dans la gauche. Combinés, ils forment l'arme la plus efficace contre les gobelins. Néanmoins, je n'étais pas à mon aise, ne sachant trop à quoi m'attendre.

Un frappeur peut devenir extrêmement violent et se muer en un clin d'œil en lance-cailloux. Il est alors capable de vous balancer des rochers assez gros pour vous écraser ou de vous crever un œil d'un jet de silex pointu.

Je me préparais donc au pire.

Or, les premiers sons qui me parvinrent m'apprirent qu'il s'agissait d'un gobelin velu. J'entendais le grattement insistant de griffes acérées contre le bois. Enfin, la créature se matérialisa, prenant lentement la forme d'un gros chat roux.

J'en fus heureux et soulagé, c'est le moins qu'on puisse dire ! Les gobelins-chats ont une tendance à la bénignité et sont plus faciles à raisonner que leurs homologues chèvres ou chiens. Je l'interpellai donc d'une voix forte et ferme, tentant de paraître aussi assuré que possible :

– Tu devrais t'en aller ! Les gens qui travaillent ici n'ont ni respect pour toi ni conscience de ta valeur. Le ley est ouvert, profites-en ! Choisis un endroit plus confortable ! Un lieu où tu seras le bienvenu !

À peine avais-je fini de parler que l'image du gros chat roux s'estompa. Pendant quelques instants, un ronronnement emplit l'atelier, si puissant qu'il fit vibrer le plancher et s'entrechoquer les outils sur l'établi. Puis le silence revint. Le gobelin était parti. J'étais surpris qu'il ait obéi aussi aisément à mes injonctions.

Ce fut avec fierté que je rapportai mon succès au chef d'atelier le lendemain matin. Or, comme dit le proverbe : «Plus dure sera la chute !» Tandis que je retournais joyeusement à la maison, déjà payé de mes bons services, je ne m'attendais guère à ce que j'allais y trouver.

La nuit suivante, j'étais couché quand un fracas épouvantable monta de la cuisine, au rez-de-chaussée, un bruit de vaisselle brisée et de casseroles violemment projetées contre les murs.

Lorsque je descendis, je constatai les dégâts : des débris de poteries couvraient le carrelage, mêlés aux casseroles et aux marmites cabossées. Consterné, je compris que le gobelin avait pris mes paroles pour une invitation à s'installer chez moi ! Plusieurs leys se croisant sous ma maison, il s'y était rendu facilement.

J'étais furieux, et ma première pensée fut de me débarrasser de l'importun avec du sel et du fer. Puis les sages avis de mon maître me revinrent en mémoire. Après tout, le gobelin s'était trouvé un nouvel habitat, et j'avais tout le temps de le chasser. Mieux valait tenter d'abord une seconde négociation.

La nuit suivante, j'attendis patiemment, dans le noir complet. Juste avant minuit, une casserole rebondit sur le carrelage de la cuisine. Le velu se manifestait à nouveau.

– Pourquoi te conduire ainsi ? le raisonnai-je d'une voix calme. Ai-je fait quoi que ce soit qui t'ait blessé ? Pourquoi ne pas t'en aller plus loin et trouver un endroit qui te convienne mieux ?

Le sourd grondement irrité qui emplit l'obscurité me fit dresser les cheveux sur la nuque. J'étais en présence d'un gobelin puissant, et il m'informait de façon catégorique qu'il n'avait nulle intention de suivre mon conseil. Bien que les gobelins-chats soient habituellement de bonne compagnie, il arrive à certains de se montrer malveillants. Un petit nombre peut même se révéler dangereux. Si on les provoque, ils sont capables de vous briser le crâne d'un revers de patte ou de vous trancher la gorge d'un coup de griffe.

J'eus alors un éclair d'inspiration. Mon maître m'avait dit un jour qu'au sud du Comté, un vieil épouvanteur avait conclu un confortable arrangement avec un gobelin. En échange de certaines concessions, la créature avait accepté de tenir sa maison. Pourquoi ne pas tenter d'en faire autant ?

– Je crois comprendre que tu n'as pas envie de t'en aller. Eh bien, sache que je n'ai moi-même aucune envie de déménager. Nous voici donc dans une impasse. Nous pourrions nous battre jusqu'à ce que l'un de nous y laisse sa peau, mais il y a peut-être une meilleure solution. La vie, ici, pourrait être tout à fait agréable pour toi comme pour moi. Si tu restais pour t'occuper du ménage et de la cuisine ? Tu n'aurais plus à craindre d'être traqué par un épouvanteur. De plus, je te récompenserais de tes services.

Le gobelin se matérialisa de nouveau, sous sa forme de gros chat roux. Il luisait dans l'ombre, la fourrure hérissée. Se préparait-il à attaquer ?

Enfonçant les mains dans mes poches, je saisis une poignée de sel dans l'une et de la limaille de fer dans l'autre. La créature devina mes intentions ; elle émit un grondement menaçant.

Je l'avertis en retour :

– Accepte mon offre ! En cas de refus, tu en subiras les conséquences !

Nous restâmes un moment face à face. Puis le gobelin disparut lentement. J'attendis encore une heure, dans l'obscurité, au cas où il se manifesterait encore. Finalement, je regagnai mon lit, fatigué et préoccupé. Je regrettais d'avoir tergiversé au lieu de me débarrasser une fois pour toutes de cet hôte indésirable.

Or, le matin suivant, une surprise m'attendait à la cuisine. Un bon feu flambait dans l'âtre et un repas chaud était disposé sur la table : du bacon, des œufs et des saucisses, cuisinés à la perfection. Je déjeunai avec soulagement, mais, quand je m'apprêtai à quitter la table, je perçus un grondement sourd. Comprenant aussitôt mon erreur, je m'empressai de la corriger.

– Mes compliments au cuisinier, lançai-je en hâte. Je n'avais jamais rien mangé d'aussi bon !

Un profond ronronnement s'éleva aussitôt de dessous la table, et je sentis une chaude fourrure se frotter contre mes chevilles.

« Tout est bien qui finit bien », me dis-je.

Ce gobelin appréciait visiblement la flatterie.

Les choses continuèrent de la sorte un moment. Chaque matin, j'étais accueilli par un appétissant petit déjeuner ; bientôt j'eus droit de même à un souper. Jusqu'à ce que, graduellement, la qualité des repas commence à se dégrader. Certains jours, le bacon était brûlé et les œufs pas assez cuits. Vint un jour où je ne trouvai plus aucun repas prêt. Cette nuit-là, une fois de plus, j'entendis un fracas de vaisselle brisée au rez-de-chaussée.

Le temps que j'arrive devant la porte de la cuisine, le bruit avait cessé, mais je percevais un grattement de griffes acérées. J'attendis que le silence revienne. Puis, levant une chandelle, je pénétrai dans la pièce. Je lus alors ces mots, gravés dans le bois de la planche à découper :

ET MA RÉCOMPENSE ?

Je pris aussitôt conscience de ma sottise. Je lui avais promis de le rétribuer pour ses services, et je ne l'avais pas fait. À cet instant, ma chandelle fut soufflée, et la porte claqua derrière mon dos. J'étais en grand danger.

J'avais bien dans mes poches du sel et de la limaille de fer. Mais le gobelin avait pris soin de ne pas se montrer, de sorte que je n'avais aucun moyen de localiser ma cible. Je cherchai à tâtons la poignée de la porte quand un coup violent à la tempe me projeta contre le battant. Étourdi, la tête douloureuse, je tombai à genoux. Un coup de griffes invisibles me laboura la joue droite. À deux doigts de céder à la panique, le cœur battant la chamade, je me relevai péniblement.

Je ne sais comment je réussis à ouvrir la porte et à regagner ma chambre. J'examinai dans le miroir les estafilades livides, sur mon visage, tandis qu'un tintamarre de vaisselle brisée montait de la cuisine.

Une joue cuisante, une bosse sur le crâne, affligé d'une violente migraine, je passai le reste de la nuit à analyser les conséquences de ma stupidité. J'avais laissé ma promesse de récompense s'évaporer de mon esprit. Il me fallait à présent la tenir, et de toute urgence. Je passai soigneusement en revue chaque aspect du problème. Au matin, j'avais une idée sur la façon de procéder.

La nuit venue, j'entrai dans la cuisine non sans appréhension et m'adressai à la créature :

— Ta récompense sera mes jardins. En plus de cuisiner et de tenir la maison propre, tu garderas la maison et les jardins. Tu tiendras à distance tout danger et toute menace.

Un grondement me répondit. Le gobelin n'appréciait pas de se voir exiger davantage de travail. Je repris vivement mes explications :

– En compensation, les jardins seront ton domaine. À l'exception des choses enfermées dans des fosses et de mes futurs apprentis, le sang de toute créature y pénétrant après la tombée de la nuit sera à toi. Toutefois, si l'intrus est un humain, tu devras l'avertir à trois reprises par un hurlement. Cet arrangement durera aussi longtemps que cette maison aura un toit !

À peine avais-je fini de parler qu'un ronronnement grave s'élevait. Le gobelin était satisfait, et notre pacte scellé. Je fis immédiatement savoir au village et dans les fermes du voisinage que mes jardins étaient dorénavant sous la garde d'un dangereux gobelin, et que quiconque s'aviserait d'y entrer le ferait à ses risques et périls.

Peu de temps après, je suspendis une cloche au carrefour des saules, de sorte que ceux qui avaient besoin de mes services puissent me prévenir sans approcher de la maison.

Je ne craignais guère qu'un innocent soit un jour victime du gobelin. On pouvait entendre ses hurlements à des miles de là, si terrifiants que n'importe quel intrus aurait pris aussitôt ses jambes à son cou. Quant aux éventuelles incursions de serviteurs de l'obscur, le gobelin était assez fort pour tenir à distance n'importe lequel d'entre eux ou presque*.

PHASE 2 : INTIMIDER

Si la négociation échoue, il faut tenter l'intimidation en rendant la vie difficile, voire impossible, au gobelin. Par exemple, on verse du sel et du fer à des endroits stratégiques. Certains gobelins s'installent dans de vieux troncs d'aubépine ou bien y emmagasinent leurs pouvoirs. Couper l'arbre et le brûler oblige la créature à se trouver un nouveau repaire. Cela dit, l'intimidation se révèle souvent dangereuse tant ces êtres sont imprévisibles. Alors que l'épouvanteur le tourmente dans l'espoir de le chasser, le gobelin peut recourir de façon soudaine à la plus extrême violence.

---

* Le gobelin faillit une fois à sa tâche : il se laissa tromper par une ménade tueuse, qui avait déposé une auge de bois emplie de sang à la lisière du jardin. Une potion devait être mélangée au breuvage, car le gobelin, s'étant abreuvé, n'avait pas arrêté l'intruse. Mais il l'avait attaquée et tuée alors que je l'avais solidement entravée. L'Épouvanteur en fut fort perturbé : nous n'étions plus en sécurité dans la maison de Chipenden.   Tom Ward

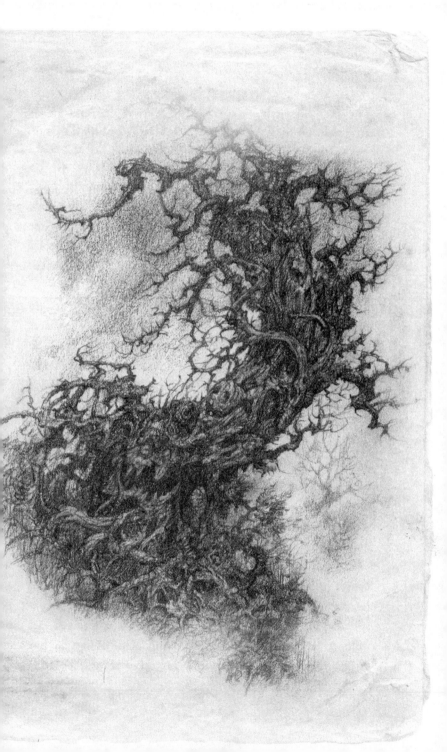

LE LANCE-CAILLOUX DE SAMLESBURY

À la fin de ma première année à Chipenden, je dus affronter un gobelin particulièrement retors. Il s'était établi près du village de Samlesbury, sur les rives de la Ribble, et en moins d'un mois il était passé de l'état de frappeur – se contentant de cogner aux portes et de tambouriner contre les murs – à celui d'authentique lance-cailloux. Il représentait une sérieuse menace pour la vie des habitants.

Pendant plus d'une semaine, les pierres avaient plu sur le village, brisant les tuiles des toits, les cheminées et les vitres, terrorisant humains et animaux. Le but d'un lance-cailloux est simple : chasser tout être vivant d'un lieu qu'il considère comme son territoire personnel. Quand il a jeté son dévolu sur un village et les champs environnants, il faut l'obliger d'urgence à déguerpir.

Je devais en premier lieu déterminer l'emplacement de son gîte temporaire. Ce fut relativement facile car – c'est souvent le cas – il se situait au centre des perturbations : dans la cave de l'auberge locale. J'entamai d'abord les procédures habituelles d'intimidation. Je répandis du sel et de la limaille de fer sur l'escalier. Puis, après avoir préparé un mélange de colle à base d'ossements broyés contenant les mêmes ingrédients, j'en enduisis les murs et les portes.

La méthode se révéla efficace, et on entendit à des miles à la ronde les hurlements du gobelin obligé de fuir sa demeure. Cependant, je n'avais pas prévu la violence de sa réaction. En représailles, il tua l'aubergiste. On retrouva le malheureux, au matin, dans sa cour, sous un énorme rocher. Seuls sa tête, ses mains et ses pieds étaient encore visibles. Une fois le rocher roulé, il fallut racler le reste de son corps pour le détacher des dalles. Le gobelin était devenu un redoutable tueur d'humains. Il devait être détruit, tâche que j'accomplis dans les règles.

Je tirai une leçon importante de ce déplorable épisode. Désormais, à chacun de mes affrontements avec un lance-cailloux, je persuade les gens de quitter les lieux jusqu'à ce que le travail soit achevé. La plupart du temps, il suffit de fournir un abri temporaire à un fermier et à sa famille. Parfois, c'est un village entier qui doit être évacué.

PHASE 3 : ENTRAVER

Avant d'entraver un gobelin, l'épouvanteur doit d'abord creuser une fosse et commander à un maçon une dalle, qui sera suspendue au-dessus. On fixera au centre de la dalle un crochet qu'on ôtera par la suite.

Il convient de respecter différentes étapes :

1. Engager un bon maçon pour tailler la pierre qui servira de couvercle, ainsi que deux habiles terrassiers pour l'abaisser le moment venu. Ces hommes devront avoir de l'expérience.

L'intervention d'ouvriers maladroits ou peu entraînés peut coûter la vie à un épouvanteur et à son apprenti.

2. La fosse mesurera au moins six pieds de large sur autant de profondeur. On la creusera le plus près possible d'un gros arbre, sous une branche solide à laquelle le terrassier pourra suspendre un palan. Le mieux est de choisir un chêne, l'essence la plus efficace pour absorber lentement les forces d'un gobelin emprisonné, ce qui ne lui laisse aucun espoir de fuite. (Pour un éventreur, prévoir une fosse de neuf pieds de profondeur.)

3. Diluer la poudre d'os de bétail avec de l'eau pour obtenir une colle épaisse. Y ajouter des parts égales de sel et de limaille de fer (un demi-sac de chaque). Remuer jusqu'à ce que le mélange soit parfaitement homogène.

4. Laisser les terrassiers positionner la dalle au-dessus de la fosse à l'aide du palan.

5. Pendant ce temps, recouvrir de glu les parois de la fosse avec une brosse. Cela doit être fait avec un soin extrême : le plus petit espace oublié permettrait au gobelin de s'échapper.

6. Badigeonner également la face interne de la dalle avec la mixture.

7. Attirer le gobelin dans la fosse à l'aide d'une assiette-appât* contenant du lait ou – de préférence – du sang. (Le sang est obligatoire quand on a affaire à un éventreur.)

* L'assiette-appât est un récipient creux, en métal, percé près du bord de trois trous à égale distance l'un de l'autre. On y passe les crochets de trois courtes chaînes reliées à une plus longue par un anneau, ce qui permet de descendre l'assiette dans la fosse. Cela fait, on relâche les chaînes de sorte que les crochets tombent sans renverser le récipient. Cet exercice requiert une grande habileté.
Il m'a fallu presque un an pour le réussir.
C'est particulièrement difficile avec des mains qui tremblent de peur.
Billy Bradley, apprenti

8. Dès que la créature a sauté dans le trou, les terrassiers abaissent rapidement la dalle. Il peut être utile d'avoir l'aide du maçon pour la placer avec précision.

9. La dalle une fois en place, le gobelin est *artificiellement entravé*.

LA MARQUE DES GOBELINS

Un épouvanteur utilise un système d'inscriptions pour indiquer l'emplacement des gobelins. Il sert d'avertissement aux autres épouvanteurs et rappelle la tâche accomplie.

Gregory

L'inscription ci-dessus est caractéristique de celles qu'on trouve sur les dalles. La lettre grecque *gamma* indique qu'un gobelin est entravé dans la fosse.

Le nom (Gregory) désigne celui qui a effectué le travail. Le chiffre 1 signale un risque maximum (sur une échelle de 1 à 10) : un gobelin de première catégorie est extrêmement dangereux, capable de tuer sans le moindre avertissement. Le trait barrant la lettre en diagonale de droite à gauche fait savoir que le gobelin a été entravé par un épouvanteur. Beaucoup d'entre nous ont été tués en tentant de piéger un gobelin. C'est la cause de mortalité la plus fréquente dans notre profession : on trouve dans le Comté plus de gobelins que partout ailleurs.

Une autre lettre surplombe parfois le *gamma*, pour signifier de quel type de gobelin il s'agit, par exemple la lettre grecque **ε** *(epsilon)* pour éventreur.

Lorsque le trait qui barre la lettre descend de gauche à droite, le gobelin n'est que *naturellement entravé*, probablement à cause d'une perturbation dans le ley qu'il a emprunté pour arriver à cet endroit. En ce cas, le signe peut être gravé dans un tronc d'arbre ou sur un mur. Un gobelin naturellement entravé peut être libéré à n'importe quel moment, à l'occasion d'un séisme, même éloigné, ou d'un glissement de terrain.

LE DESTIN DE MES APPRENTIS

Le métier d'épouvanteur est particulièrement dangereux*. Certains de mes apprentis ont joué de malchance ou se sont trouvés au mauvais endroit au mauvais moment. Paul Preston, par exemple, était travailleur et appliqué. Je n'avais jamais vu un cahier de notes aussi soigneusement tenu. Pourtant, aucune connaissance au monde, aucun entraînement n'auraient pu le sauver.

Paul a été encorné par un gobelin-chèvre alors que nous traversions un champ boueux près de Wheeton. La créature avait l'intention de nous éviter. Malheureusement, elle s'est matérialisée à l'instant où elle heurtait mon apprenti. Ses cornes lui sont entrées sous les côtes, et la droite lui a transpercé le cœur. Le pauvre garçon est mort sur le coup.

D'autres apprentis semblent attirer le désastre. Une forte fièvre qui me tenait alité m'obligea à envoyer Billy Bradley, seul, pour entraver un éventreur, l'un des gobelins les plus redoutables. Le garçon était bien entraîné, et je lui avais

*Les deux tiers de mes apprentis se sont révélés inaptes ou sont morts au cours de leur formation. Une bonne dizaine d'autres ont pris la fuite, la nuit où je les ai emmenés dans la maison hantée de Horshaw pour y passer leur premier test. Un seul s'est laissé séduire par l'obscur. Son nom était Morgan, il est devenu nécromancien. Il cherchait toujours la voie la plus facile, et ce fut sa perte. Son autre défaut était la paresse. Il n'a jamais pu se plier à l'apprentissage de l'Ancien Langage. John Gregory

donné des instructions précises. Il aurait dû réussir. Je tiens à signaler pourquoi les choses ont mal tourné, pour que mes futurs apprentis retiennent la leçon.

Billy avait malheureusement tendance à rêvasser et ne notait pas mes enseignements avec assez de rigueur. En plus de son manque de connaissance, il avait une fâcheuse tendance à se montrer impatient. Le temps était venteux, il pleuvait à verse, et Billy voulut se débarrasser trop vite de sa tâche. Il enduisit la fosse du mélange de colle, de sel et de fer, et réussit à déposer

au fond l'assiette-appât. Or, il avait déjà commis une erreur, qui s'est révélée fatale. Au lieu d'engager des terrassiers expérimentés, il avait requis l'aide de paysans du coin. On abaisse la dalle avec un système de chaînes et de poulies, ce qui permet de la positionner avec précision. Mais cela exige un savoir-faire que ces hommes ne possédaient pas. La main gauche de Billy s'est trouvée coincée sous la pierre, et, avant qu'il ait pu être libéré, le gobelin lui avait tranché les doigts et avait commencé à le vider de son sang. Dans les cinq minutes qui suivirent ce déplorable accident, la panique et l'incompétence transformèrent une situation réparable en tragédie.

Les hurlements du garçon ajoutèrent à la confusion. Les paysans s'affolèrent. La dalle était posée de travers, les chaines s'étaient emmêlées. La pierre écrasait la main de Billy. Le temps qu'on réussisse à le dégager, le mal était fait. Le garçon avait perdu connaissance. Il expira quelques instants plus tard, tué autant par le choc que par l'hémorragie.

Il avait commis une deuxième erreur. Dans sa hâte d'en terminer, il n'avait pas attendu le retour du maçon, parti souper à l'auberge voisine. Un bon maçon ne sait pas seulement tailler une dalle à l'exacte dimension, il est aussi habile à poser le couvercle de pierre sur la fosse du gobelin. Sa seule présence aurait pu sauver Billy*.

* On refuse aux épouvanteurs et à leurs apprentis le droit de reposer en terre consacrée. Le pauvre Billy fut donc enterré à l'extérieur du cimetière de Layton. Il était mon vingt-neuvième apprenti. Écouter mes leçons avec attention, prendre des notes précises et suivre mes instructions à la lettre, c'est vital.   John Gregory

PHASE 4 : TUER

Quand toutes les solutions précédentes ont échoué, il ne reste plus qu'à détruire le gobelin avec du sel et de la limaille de fer. En ce cas, le minutage est essentiel. Les deux substances projetées doivent se répandre en même temps autour de la créature, l'enveloppant d'un nuage mortel. Ce geste ne s'acquiert qu'au prix d'un long entraînement. Les gobelins les plus puissants, qui demeurent invisibles même aux yeux d'un épouvanteur, sont particulièrement difficiles à vaincre. On ne peut les localiser qu'aux bruits qu'ils produisent et en observant la trajectoire des objets qu'ils lancent. Mais, à mesure qu'ils brûlent leur énergie, ils s'affaiblissent, et leurs contours se dessinent peu à peu. Les lance-cailloux sont les pires*.

* J'en ai rencontré un particulièrement dangereux à la ferme de la Pierre, près de la faille d'Owshaw. Après que son aubépine avait été abattue et brûlée, il avait trouvé refuge à la ferme de la Lande, à l'ouest d'Anglezarke. Je sortis dans la cour pour servir de cible au lance-cailloux et l'obliger à utiliser ses pouvoirs. C'était une nuit de tempête, et je voulais qu'il soit affaibli avant de le laisser entrer dans la maison, où le sel et le fer ne seraient pas dispersés par le vent.

Ce gobelin était très puissant, il me malmena au point que je faillis en mourir. Je retournai dans la cuisine en rampant, pour l'attirer comme appât. Je ne dus ma survie qu'au sang-froid de mon apprenti, Tom Ward, qui réussit à le tuer. Il me fallut plusieurs semaines pour me remettre. Cependant, j'avais affronté la créature selon la méthode éprouvée, celle que j'ai exposée ici, sans commettre d'erreur. Être mutilé ou tué fait partie des risques de notre métier.
John Gregory

Avec un lance-cailloux, la méthode est la suivante :

1. Mélanger le sel et le fer à de la colle d'ossements.

2. Si nécessaire, entraîner la créature loin des habitations, enduire de mixture les endroits qu'elle fréquente. Cela l'empêche d'y trouver refuge.

3. Repérer sa véritable demeure, le plus souvent un arbre creux. Les lance-cailloux ont une prédilection pour les aubépines.

4. Abattre l'arbre et brûler ses racines. C'est là que la créature a stocké ses pouvoirs. En lui en refusant l'accès, on l'affaiblit. Furieuse, elle devient agressive et cherche le responsable de son malheur.

5. S'offrir alors comme cible. Le gobelin gaspillera ses dernières forces en tentant de vous blesser. Mieux vaut le combattre à l'extérieur, où il ne trouvera pas grand-chose à vous jeter à la tête. Malgré tout, attendez-vous à souffrir au minimum d'écorchures et d'hématomes.

6. Quand les forces du gobelin sont presque épuisées, attirez-le à l'intérieur pour y être à l'abri du vent. Veillez à bien viser en lui jetant le sel et la limaille de fer. Vous n'aurez droit qu'à un seul essai !

Tous les gobelins ne sont pas aussi difficiles à détruire que les lance-cailloux. Le secret de la réussite est d'être adroit et de s'approcher le plus possible de la cible.

LE GOBELIN DE COCKERHAM

J'arrivai à Cockerham un soir, peu après la tombée de la nuit. L'instituteur, qui m'avait fait demander, m'attendait devant le portail de l'église.

– Dieu merci, vous avez eu mon message, me dit-il. Vous arrivez à temps.

Il me conduisit par un étroit passage entre deux hautes maisons jusqu'à son cottage.

C'était l'instituteur typique, comme on en trouve dans chaque village. Avec ses lunettes aux verres épais, il avait l'air d'un vieux hibou. Très grand, très maigre, il marchait courbé dans le vent violent. Les rafales qui secouaient les branches des sycomores et malmenaient les tuiles des toits auraient pu l'emporter tel un fétu. Pourtant, mon attention fut d'abord attirée par ses mains, larges et osseuses, aux longs doigts fins. Elles tremblaient si fort qu'il dut s'y reprendre à trois fois pour introduire sa clé dans la serrure. Certes, il faisait froid, mais pas à ce point. Cet homme était tout bonnement terrifié. Une fois entré, il m'offrit une soupe de tomate, que je refusai : je devais jeûner pour me préparer à la tâche.

– Quel est votre problème ? m'enquis-je.

– Que dire, sinon que ça va très mal ? répondit-il d'une voix apeurée. Le Diable est entré à Cockerham, et j'ai commis une grave erreur. Je me suis cru assez malin pour me débarrasser de lui ; j'avais tort. À minuit, il viendra me réclamer mon âme.

Posant les mains sur ses épaules, je l'invitai à s'asseoir et m'efforçai de me montrer rassurant :

— Si vous me racontiez votre histoire en commençant par le commencement ? N'omettez rien, donnez-moi tous les détails, certains peuvent se révéler importants.

L'instituteur entama donc son récit. La plupart des enseignants sont de grands parleurs, qui aiment le son de leur propre voix. Celui-ci était différent. Peut-être était-ce un effet de sa terreur, mais il lui fallut moins de cinq minutes pour me conter toute l'affaire.

— Le Diable a visité Cockerham chaque nuit pendant tout l'hiver, m'apprit-il. Au début, il jouait des mauvais tours en maniant le heurtoir des portes ou en faisant tourner le lait dans les barattes. Puis il s'est introduit dans le cimetière, où il a renversé les pierres tombales. Enfin, il s'est mis à terroriser les gens, en particulier les vieux qui vivent seuls. Rien que le mois dernier, trois ont été retrouvés morts, le visage figé dans une telle expression d'effroi qu'on a dû les coucher sur le ventre dans leur cercueil. Autrement, le croque-mort refusait de clouer le couvercle.

Les gens se sont adressés au curé. Or, après avoir prononcé tant de véhéments sermons du haut de sa chaire, il a eu une attitude des plus décevantes. Il a soudain décidé de prendre une retraite anticipée. Le lendemain, il était parti vivre auprès de ses trois sœurs, sur la rive sud de la Ribble. Ne sachant plus vers qui se tourner, les gens se sont adressés à moi. Ils m'ont abreuvé de paroles louangeuses, alléguant que j'étais l'homme le plus érudit du Comté, qui avait passé sa vie à lire et à transmettre son savoir. Si quelqu'un pouvait chasser ce démon, prétendaient-ils, c'était moi. J'ai fini par accepter, non à cause de leurs flatteries mais parce que, me semblait-il, tel était mon devoir. Aussi, il y a trois nuits, j'ai débarrassé la salle de classe de ses bureaux, à l'exception du mien, et j'ai utilisé ma vieille Bible pour convoquer le Diable.

La malveillante créature est aussitôt apparue, menaçant de m'entraîner aux Enfers. Puis elle a fait mine de se laisser fléchir. D'un air sournois, elle m'a proposé de lui imposer trois épreuves, promettant – si elle se montrait incapable d'en accomplir ne serait-ce qu'une seule – de quitter aussitôt Cockerham et de n'y jamais revenir. En revanche, qu'elle vienne à bout des trois, et mon âme lui appartiendrait pour l'éternité.

L'esprit brouillé par la peur, j'ai lancé la première idée qui me passait par la tête : « Dis-moi combien on compte de grains de sable sur la plage de Cockerham. » J'ai tout de suite compris mon erreur. Faut-il les compter à marée haute ou à marée basse ? Le rivage est plat et très étendu, mais où sont exactement ses limites ? À quel endroit notre plage devient-elle celle de Pilling, le village voisin ? Le pire était que je ne connaissais pas la réponse à ma propre question !

Le Diable a disparu pour réapparaître trois secondes plus tard. Il a prononcé alors un nombre si élevé qu'il était impossible à imaginer. Trop effrayé pour le contredire, je n'ai pu qu'accepter sa déclaration et lui imposer une deuxième épreuve. Et, de nouveau, je me suis montré stupide : « Dis-moi combien il y a de bourgeons sur les sycomores de

Cockerham. » Une fois encore, j'ignorais la réponse et n'avais aucun moyen de vérifier s'il avait bien compté ou non. J'ai enfin retrouvé assez de sang-froid pour négocier un délai de trois jours avant de lui imposer une troisième épreuve. Le Diable a accepté. Cela me donnait juste le temps de vous contacter. Pouvez-vous m'aider ? Je suis au bout de mes capacités.

Le Diable

– À quoi ressemblait-il, ce démon ? demandai-je.

– À l'image qu'on s'en fait : des cornes, une queue, une puanteur de bouc. De toute ma vie je n'avais ressenti pareille terreur. C'est ce qui m'empêchait de réfléchir.

Je le rassurai :

– Ne vous inquiétez pas. Je vais vous débarrasser de lui. Conduisez-moi jusqu'à votre salle de classe. Puis revenez ici et réchauffez votre soupe pour notre dîner. À minuit dix, tout sera terminé.

Il ne restait pas grand-chose, dans la salle : un grand placard, un évier, le bureau de l'instituteur et, dessus, un encrier et une Bible fermée. J'avais ôté mon manteau à capuchon pour ne pas être reconnu comme un épouvanteur. Je savais que l'homme avait été tourmenté non par le Diable mais par un dangereux gobelin velu, capable de parler et de changer d'apparence. Il avait tué des humains, je n'avais donc d'autre choix que de mettre en œuvre la quatrième voie : le tuer.

À peine étais-je entré dans la pièce qu'un éclair éblouissant jaillit au-dehors, suivi d'un roulement de tonnerre qui secoua le toit et fit vibrer le plancher sous mes pieds. Distrait par ces manifestations, je me tournai vers la fenêtre. Quand mon regard revint dans la pièce, une hideuse créature se tenait devant le bureau.

Le gobelin était bien tel que l'instituteur l'avait décrit. En plus des cornes et de la queue, il avait les sabots fendus des boucs et, oui, il puait ! Le long pelage noir qui lui recouvrait le corps luisait à la lueur de la chandelle telle la robe d'un cheval de course apprêté pour un concours hippique. Sa queue, cependant, longue, fine, noire et glabre, évoquait plutôt celle d'un rat. Le gobelin m'adressa un sourire mauvais qui lui découvrit les dents. Sa longue queue s'enroulait et se déroulait, et frappait le plancher à trois reprises chaque fois qu'elle était entièrement allongée.

– Tiens, tiens ! Qu'est-ce que nous avons ici ? demanda-t-il en me considérant comme si j'allais constituer son souper.

– L'instituteur ne se sent pas bien, expliquai-je. Il m'a envoyé à sa place. Je suis ici pour t'imposer la troisième épreuve.

– Tu connais les règles du jeu ?

Je fis signe que oui.

– Bien, reprit la diabolique créature avec un nouveau coup de queue sur le plancher. Alors, allons-y ! Quelle est cette troisième épreuve ?

– Tu m'apporteras une corde tressée avec le meilleur sable de Cockerham. Puis tu la laveras à ce robinet avant de me la remettre.

J'étais satisfait de mon idée, car, même si le gobelin réussissait à tresser une corde avec du sable, il ne pourrait jamais la passer sous l'eau sans qu'elle se dissolve aussitôt. De même que les sorcières sont incapables de traverser les ruisseaux, les serviteurs de l'obscur ont beaucoup de mal avec les eaux courantes.

Le sourire du gobelin s'effaça. Il fronça les sourcils, montra les dents et disparut. Il ne lui fallut que cinq secondes pour revenir se planter devant moi. Il tenait une corde de sable et jetait des regards incertains vers l'évier.

Il ne voulait pas le faire, mais il avait passé un contrat ; il n'avait pas le choix. Dès qu'il mit la corde sous le robinet, le sable coula entre ses doigts avec l'eau et fut évacué par le trou de vidange. Aussi, quand le gobelin revint vers moi, la mine aussi sombre qu'un nuage d'orage, je lui adressai un large sourire dans l'intention de le mettre en rage.

— J'ai gagné ! lançai-je d'un ton railleur. Va-t'en ! Retourne d'où tu viens !

Il se pencha au-dessus du bureau, son front touchant presque le mien, et son expression vindicative me prévint qu'il n'avait nulle intention de respecter les termes du marché. Son haleine était si atroce que je reculai, pas trop cependant, juste assez pour enfoncer les mains dans mes poches.

Une nuée blanche s'envola de ma main droite et une noire de ma main gauche. Du sel et du fer. Du sel pour brûler le gobelin, du fer pour anéantir ses pouvoirs. Le nuage mortel se répandit sur sa face et ses épaules.

Ce ne fut pas beau à voir. Le gobelin, hurlant à réveiller un mort, se fripa, se liquéfia. Quelques secondes plus tard, il ne restait de lui qu'une flaque nauséabonde sur le plancher de la classe.

Je retournai dîner chez l'instituteur et lui révélai qu'il n'avait pas eu affaire au Diable, mais à un gobelin. Il m'écouta patiemment, mais je ne suis pas certain qu'il m'ait cru. Il répandit ensuite sa propre version des faits, expliquant à qui voulait l'entendre avec quelle intelligence il avait inventé une troisième tâche que le démon n'avait pu accomplir.

Des années plus tard, l'histoire du vaillant instituteur de Cockerham, qui a su tromper le Diable en personne, circule encore dans le Comté. Le pire est que l'homme ne m'a jamais réglé la somme qu'il me devait.

QUELQUES GOBELINS CÉLÈBRES

Nom :	Le Gobelin de Bury
Type :	Briseur d'os. La sorcière Anne Caxton l'envoyait prendre leurs os aux vivants pour ses pratiques de magie noire.
Catégorie :	1
Entravé ou tué :	Tué
Épouvanteur :	Henry Horrocks (mon maître)
Apprenti :	J'étais avec Henry ce jour-là, mais ne devins son apprenti que cinq ans plus tard.
Nombre de victimes :	Trois, dont l'apprenti de Henry, Brian Harwood

Nom :	L'Éventreur de Coniston
Type :	Éventreur de bétail devenu pervers
Catégorie :	1
Entravé ou tué :	Tué
Épouvanteur :	Bill Arkwright
Apprenti :	Aucun
Nombre de victimes :	Au moins trente

Nom :	La Chèvre de Wheeton
Type :	Gobelin velu
Catégorie :	2
Entravé ou tué :	Tué
Épouvanteur :	John Gregory
Apprenti :	Paul Preston
Nombre de victimes :	Une, mon apprenti, Paul Preston

Nom :	Le Gobelin de Horshaw
Type :	Éventreur de bétail devenu pervers
Catégorie :	1
Entravé ou tué :	Entravé
Épouvanteur :	Thomas Ward (apprenti)
Nombre de victimes :	Une, mon fou de frère, prêtre.

Nom :	L'Éventreur de Pendle
Type :	Éventreur de bétail devenu pervers. Utilisé par les sorcières du clan Malkin pour attaquer leurs ennemis.
Catégorie :	1
Entravé ou tué :	Toujours en liberté
Nombre de victimes :	Plus de cent en quarante ans
Situation actuelle :	En activité depuis plus de soixante-dix ans ; contrôlé par magie noire.

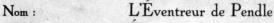

Nom :	L'Éventreur de Layton
Type :	Éventreur de bétail devenu pervers
Catégorie :	1
Entravé ou tué :	Tué
Épouvanteur :	John Gregory
Nombre de victimes :	Une seule, mon apprenti Billy Bradley, qui s'est montré trop imprudent.

Nom :	L'Éventreur de moutons de Rivington
Type :	Éventreur de bétail devenu pervers : il avait pris goût aux bergers.
Catégorie :	1
Entravé ou tué :	Tué
Épouvanteur :	John Gregory
Nombre de victimes :	Six : cinq bergers et un garde-champêtre

---

Nom :	Le Frappeur de Staumin
Type :	Frappeur
Catégorie :	1
Entravé ou tué :	Entravé
Épouvanteur :	Robert Stocks. Par la suite, il devint prêtre.
Apprenti :	Aucun
Nombre de victimes :	Un suicide provoqué par la peur

Le Fléau

LES ANCIENS DIEUX

L e débat se poursuit entre les épouvanteurs quant à l'origine des Anciens Dieux.

Certains pensent qu'ils n'appartiennent pas tous à l'obscur et que la plupart sont bienveillants.

Il est vrai qu'il en existe de plus maléfiques et cruels que d'autres. Cependant, pour moi, il n'y a pas de contestation possible. Les Anciens Dieux se jouent des émotions humaines, se conduisent en égoïstes, provoquent des guerres et infligent à l'humanité de terribles épreuves. Beaucoup exigent des sacrifices sanglants. Ce sont des créatures de l'obscur.

Aphrodite

Son nom vient du grec *aphros*, qui signifie « écume ». On raconte qu'elle naquit des vagues de l'océan, sous sa forme adulte. Blonde fille de Zeus, elle règne sur ce que le monde possède de plus beau. Elle possède cependant un aspect destructeur et se délecte de la fascination qu'elle exerce sur les hommes.

Aphrodite a aussi le pouvoir d'écarter les tempêtes et de calmer les vents. Certains pensent qu'elle est la femme d'Héphaïstos, le forgeron des dieux.

Que la plus belle des anciennes divinités ait pu prendre pour époux l'un des dieux les plus laids paraît curieux. À moins qu'elle ait usé de ses charmes pour le lier à elle afin d'en tirer quelque avantage.

Artémis / Hécate

Autre déesse originaire de Grèce, Artémis est une chasseresse cruelle, éprise des forêts et des espaces sauvages.

Hécate

Belle et athlétique, elle éveille l'admiration de tous les hommes, mais peut prendre une apparence hideuse : celle d'Hécate, aussi appelée Reine des Sorcières. Elle règne alors sur les lieux lugubres. Elle est particulièrement à craindre par les nuits sans lune.

On dit aussi qu'elle s'attarde à la croisée des routes, pour s'emparer des âmes des voyageurs. Quoique censée être la protectrice de la jeunesse, elle exige parfois des sacrifices sanglants. Bien des jeunes filles ont été mises à mort pour lui complaire. Hécate est une de ces dangereuses entités féminines dont il convient de se méfier.

Le Fléau

Le Fléau était à l'origine un des Anciens Dieux, vénéré par le peuple des Segantii, dit « le Petit Peuple ». Il habitait un tumulus à Heysham et vagabondait dans le Comté en toute liberté.

Son aspect physique est repoussant. Son corps trapu et musculeux a quelque chose de vaguement humain bien qu'il soit recouvert d'écailles, avec des doigts et des orteils munis de longues griffes. Son visage est hideux. Son long menton recourbé rejoint presque son nez, et ses larges oreilles évoquent celles d'un loup.

Le Fléau répandait la terreur auprès des Segantii et de leur souverain, le roi Heys. Il exigeait chaque année un tribut, et le roi fut même contraint de sacrifier ses propres fils. Ils moururent l'un après l'autre en commençant par l'aîné. Toutefois, le septième et le plus jeune, Maze, réussit à entraver la créature.

Le Fléau

Il y laissa la vie, mais le Fléau se trouva enfermé dans les catacombes, sous la cathédrale de Priestown, derrière une grille d'argent. Ses pouvoirs avaient tant diminué qu'il n'était plus un dieu.

Au fil des siècles, en dépit de son emprisonnement et de son état de faiblesse, le Fléau reprit lentement des forces. On finit par entendre des chuchotements dans les caves de certaines maisons proches de la cathédrale. Ces bruits se firent peu à peu plus forts et plus perturbants. Une voix sourde et grondante provoquait des vibrations dans les planchers et les murs.

Depuis quelque temps, après avoir récupéré une grande partie de ses pouvoirs, le Fléau tente de retrouver son apparence physique d'origine. Il est aussi capable de changer de forme, de lire dans les esprits et même de voir à travers d'autres yeux que les siens. Il prend progressivement le contrôle des prêtres, dans l'édifice qui surplombe les catacombes. Un terrible danger menace à présent quiconque s'aventure dans les galeries souterraines, la « presse » : le Fléau exerce sur sa victime une terrible pression qui lui brise les os et l'écrase sur le sol pavé des tunnels.

Il a cependant quelques points faibles. Il a besoin de sang pour se nourrir, et boit celui d'un animal si aucun humain n'est à sa portée. Mais les humains doivent lui donner leur sang de leur propre volonté. Face à la terreur que leur inspire la presse, certains sont prêts à le faire. Lorsqu'il doit se contenter de rats et de souris, le Fléau s'affaiblit. Il est aussi vulnérable à l'argent, en particulier à toute lame en argent. Les femmes le rendent nerveux, et il prend généralement la fuite en leur présence*. C'est pourquoi ses victimes sont le plus souvent des hommes.

* Il est exact que la présence d'une femme déstabilise le Fléau. Dans le labyrinthe de galeries qui court sous la cathédrale de Priestown, Alice l'a repoussé en sifflant et en lui crachant au visage.
Tom Ward

MON PREMIER AFFRONTEMENT
AVEC LE FLÉAU

Dans ma jeunesse, cinq ans après être devenu épouvanteur, je tentai de venir à bout du Fléau. Bien qu'enfermé derrière la grille d'argent sous la cathédrale de Priestown, il récupérait peu à peu son énergie ; il devait être détruit.

Je pénétrai dans la ville sous le couvert de l'obscurité et me rendis directement à la boutique de mon frère Andrew, maître serrurier. Craignant que je ne survive pas à une rencontre avec le Fléau, il n'avait accepté qu'à contrecœur de me forger une clé pour ouvrir la grille.

Nous nous rendîmes dans une maison abandonnée, proche de la cathédrale, hantée par un puissant fantôme étrangleur. Cela suffisait à dissuader quiconque d'y habiter, et je n'avais pas tenté de renvoyer le spectre vers la lumière : sa présence m'assurait en toute discrétion un accès permanent aux catacombes. Je préparais cette expédition contre le Fléau depuis plus de deux ans.

Par une trappe qui s'ouvrait dans la cave, nous descendîmes dans les galeries sinueuses et nous dirigeâmes vers la grille. Là, Andrew inspira profondément pour contrôler le tremblement de ses mains et prit une empreinte de la serrure dans un bloc de cire.

De retour dans son atelier, il fabriqua la clé pendant que je dormais. Le voyage m'avait fatigué, et je devais reprendre des forces en prévision du combat à venir. Au crépuscule, la clé était en ma possession, et je repartis seul vers la maison hantée, à travers les rues sombres et silencieuses de Priestown. Passant de nouveau par la trappe de la cave, je fus bientôt dans les galeries. Cette fois, quand j'atteignis la grille, c'étaient mes mains qui tremblaient. La clé fonctionnerait-elle ? Et, si oui, ouvrir la grille était extrêmement risqué. Le Fléau pouvait être tapi tout près de là et en profiter pour s'échapper.

Une chose, cependant, me rassurait. Le Fléau était incapable de surveiller chaque détour du labyrinthe, et je pouvais m'appuyer sur mon instinct de septième fils d'un septième fils. Les yeux fermés, je me concentrai. Je sentis que le Fléau ne se tenait pas à proximité. J'introduisis donc la clé dans la serrure. Andrew avait fait du bon travail : elle tourna facilement, et la grille s'ouvrit. Sans perdre une seconde, je la refermai et la verrouillai derrière moi.

Pour ne pas me perdre, j'utilisai la même méthode que Thésée pour tuer le Minotaure et retrouver son chemin dans le fameux dédale. Je m'étais muni d'une grosse pelote de ficelle, dont je nouai une extrémité à l'une des charnières de la grille. Je m'enfonçai ensuite dans l'obscurité en déroulant la ficelle. Je tenais mon bâton et une chandelle. Ma chaîne d'argent autour de la taille, les poches remplies l'une de sel, l'autre de limaille de fer, j'entamai ma lente exploration des souterrains.

J'arpentais les galeries depuis moins d'une demi-heure quand un frisson glacé me courut le long du dos, m'avertissant qu'une créature de l'obscur approchait. Je fis halte, déposai la chandelle sur le sol et relâchai d'un clic la lame de mon bâton. Puis je pris ma chaîne d'argent, que j'enroulai autour de mon poignet gauche, prête à être lancée. J'attendis, le cœur tambourinant dans ma poitrine, m'efforçant de contrôler mon souffle.

Je savais que je n'aurais droit qu'à un unique essai. Mon seul espoir de vaincre le Fléau était qu'il se matérialise, sous une forme ou une autre. Un épouvanteur a peu de chances de triompher d'un Ancien Dieu, mais le fait que le Fléau soit confiné dans le labyrinthe prouvait qu'il n'était guère plus puissant qu'un démon. S'il restait redoutable, il avait des points faibles. Je comptais sur ma chaîne d'argent pour l'immobiliser. J'aurais alors le temps de lui enfoncer ma lame dans le cœur, le détruisant ainsi définitivement. Le coup valait au moins d'être tenté.

Cependant, s'il conservait sa forme immatérielle, je n'aurais aucun moyen de défense contre lui. Aucun. J'espérais qu'il me considérerait comme une proie facile et ne se méfierait pas. Quand il attaquerait, je serais prêt.

Un sourd grondement monta de l'obscurité, là où le tunnel tournait vers la gauche, et le Fléau apparut. Il avait pris l'apparence d'un énorme chien noir, aux longs crocs jaunes et aux mâchoires puissantes. La salive qui dégoulinait de sa gueule éclaboussait les dalles ; il était assoiffé de mon sang, mais, contrairement à un éventreur, il ne pouvait me le prendre que si je le lui offrais librement. Il me saisirait donc d'abord entre ses mâchoires, car il utilisait la douleur et la terreur pour obtenir le sang de ses victimes.

Il bondit vers moi. Je fis tourbillonner ma chaîne et la lui lançai. Elle fila en cliquetant vers sa tête. Alors, l'image

de la bête se brouilla, et la chaîne ne la toucha qu'à l'épaule. Le Fléau hurla à ce contact, puis il disparut.

Bien qu'ayant blessé mon adversaire, j'avais perdu ; autant dire que j'étais mort. Ma seule chance de victoire était de lui percer le cœur avec ma lame. À présent qu'il était redevenu immatériel, j'étais sans défense. Je ne quitterais jamais le labyrinthe. Le Fléau utiliserait la presse pour m'écraser, il ne resterait de moi qu'une flaque sur les pavés. C'est alors qu'il prit la parole. Sans doute le fit-il en partie pour me tourmenter, en partie pour m'emplir d'une telle épouvante que je lui offrirais mon sang. Or, ce n'était pas mon sang qu'il voulait, mais sa liberté !

Une voix gémissante monta dans les ténèbres :

– Je suis emprisonné, ici, étroitement entravé. Mais tu as franchi la grille et tu possèdes une clé. Ouvre-moi ! Laisse-moi sortir, et je t'épargnerai !

– Non, répliquai-je. Je ne peux pas faire ça. Mon devoir envers le Comté me l'interdit. Je te garderai enfermé dans ces galeries même au prix de ma propre vie.

– Je te le demande une dernière fois. Libère-moi ou ce sera ta fin.

– Alors, finis-en, car ma réponse ne changera pas.

– En finir, dis-tu ? gronda le Fléau. Pas si vite ! Je vais prendre tout mon temps, te presser lentement...

À ces mots, mon bâton me fut arraché des mains, et un poids invisible s'abattit sur mes épaules, m'obligeant à m'agenouiller. La pression, au début, quoique régulière, était supportable. Mais la créature jouait avec moi, et le pire était à venir. Je fus poussé en arrière et me retrouvai le dos contre les pavés. La masse invisible qui m'écrasait devint telle que je ne pouvais remuer un muscle et que le souffle me manquait.

Certains inquisiteurs cruels testent les femmes suspectées de sorcellerie en les allongeant sur le dos et en plaçant sur elles, une à une, treize lourdes pierres. Leur poids est soigneusement calculé pour infliger aux victimes le maximum de tourment. À la onzième pierre, il leur devient presque impossible de respirer. La treizième entraîne généralement la mort par éclatement des organes et hémorragie interne. J'étais à présent soumis à un procédé semblable, sauf qu'au lieu de pierres, le Fléau utilisait sa propre force. Quand je fus près de perdre connaissance, je crus ma fin arrivée, la pression se relâcha légèrement, ce qui me livra à une nouvelle angoisse :

– Une dernière chance ! Je t'accorde une dernière chance ! Veux-tu me libérer ?

Incapable de parler, je ne réussis qu'à remuer négativement la tête.

– En ce cas, meurs ! cria le Fléau.

Cette fois, le poids augmenta si vite que j'étouffai. Ma vue se brouilla, un goût de sang m'emplit la bouche. Je me résignais déjà à mon destin quand il se passa une chose à laquelle rien ne m'avait préparé.

J'entendis un cri de peur et de douleur. Et, d'un coup, la sensation d'écrasement cessa. Le Fléau s'était enfui. De cela, j'étais sûr, mais pourquoi ? Trop faible pour tourner la tête, j'aperçus du coin de l'œil, sur ma droite, une colonne de lumière. Lorsque des fantômes prennent cette forme, ils sont blanc pâle. Or, l'apparition était d'un pourpre chatoyant ; elle diffusait des ondes de chaleur et de paix. Je fermai les yeux et, délivré de toute crainte, me laissai glisser dans une obscurité qui était peut-être la mort.

Je restai inconscient pendant des jours. Je revins à moi dans la chambre d'amis, au-dessus de la boutique d'Andrew. Mon frère, inquiet de ne pas me voir revenir des catacombes, avait forgé une deuxième clé. Il avait su dominer sa terreur du Fléau pour franchir la grille d'argent et me ramener.

Avec cinq côtes cassées et des hématomes sur tout le corps, j'étais en fort mauvais état. Il me fallut du temps pour me rétablir. Aujourd'hui encore, j'ignore quelle force m'a sauvé en chassant le Fléau. Peut-être s'agissait-il d'un esprit lumineux, désireux que je survive. *Mais pourquoi ?*

Avais-je quelque chose d'important à accomplir, autre que mes tâches routinières d'épouvanteur du Comté ? Je ne crois pas au Dieu que l'on représente sous les traits d'un vieillard courroucé à barbe blanche. Or ce n'était pas la première fois que je recevais une aide inattendue. J'avais souvent senti une présence à mes côtés, qui me prêtait sa force. J'en suis venu à penser que, lorsqu'on affronte l'obscur, on n'est jamais complètement seul.

Le Malin

Le Malin est l'obscur fait chair, le plus puissant de ses serviteurs et le premier des Anciens Dieux. On lui donne beaucoup d'autres noms : le Démon, Satan, Lucifer ou le Père du Mensonge. Il se serait mêlé des affaires humaines dès l'origine des temps, grandissant en forces et en pouvoir en même temps que l'obscur. Il fut une époque où il arpentait la Terre, sur laquelle il fit régner la terreur pendant plusieurs siècles avant de retourner à l'obscur. Il lui arrive de franchir un portail qui lui donne accès à notre monde, généralement à l'instigation d'une sorcière ou d'un mage cherchant à renforcer ses pouvoirs grâce à la magie satanique. Le pacte le plus célèbre passé entre un homme et le Malin est celui de Faust (voir p. 79). Mais il en existe beaucoup d'autres, certains à présent presque oubliés.

Le Malin

Le Malin conclut parfois un arrangement avec une sorcière*. Si elle lui donne un enfant, elle voit son énergie décuplée. Satan espère que son rejeton sera un semi-homme, une sorcière ou un mage qui deviendra un fidèle serviteur de l'obscur.

La sorcière tire un autre avantage de sa liaison avec le Malin : dès que celui-ci aura vu son enfant, il ne pourra plus approcher la mère, aussi longtemps qu'elle vivra, à moins qu'elle ne le souhaite. Dès lors, elle est libérée de sa domination et de son contrôle.

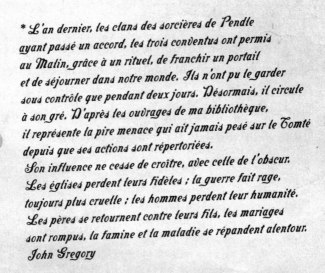

* L'an dernier, les clans des sorcières de Pendle ayant passé un accord, les trois conventus ont permis au Malin, grâce à un rituel, de franchir un portail et de séjourner dans notre monde. Ils n'ont pu le garder sous contrôle que pendant deux jours. Désormais, il circule à son gré. D'après les ouvrages de ma bibliothèque, il représente la pire menace qui ait jamais pesé sur le Comté depuis que ses actions sont répertoriées.
Son influence ne cesse de croître, avec celle de l'obscur. Les églises perdent leurs fidèles ; la guerre fait rage, toujours plus cruelle ; les hommes perdent leur humanité. Les pères se retournent contre leurs fils, les mariages sont rompus, la famine et la maladie se répandent alentour.
John Gregory

Le Malin possède de nombreux pouvoirs surnaturels. Il change à volonté de taille et d'apparence, en vue de tromper ou de terrifier les humains*. Son véritable aspect est effroyable, au point, dit-on, de vous rendre fou ou de vous faire mourir de terreur. Il peut apparaître soudainement, regarder par-dessus l'épaule de ses victimes et même lire dans les esprits. Il reste le plus souvent invisible, mais ses sabots brûlent le sol, laissant des empreintes bien reconnaissables. Il manipule aussi le cours du temps, l'accélérant ou le ralentissant, l'arrêtant même complètement.

Plus que tout, il est habile et sournois. Il préfère la ruse et la tromperie à la force.

LA MAGIE SATANIQUE

Cette magie s'acquiert à grands frais au prix d'une totale obédience au Malin. C'est un culte lourd de dangers, car celui ou celle qui le célèbre – mage ou sorcière – perd peu à peu son humanité jusqu'à n'être plus qu'un outil au service de l'obscur.

* Le Malin a pris un jour les traits de Matthew Gilbert, un batelier qui avait été tué par la sorcière d'eau Morwène. Il était impossible de deviner sa véritable identité : sa voix et son apparence étaient parfaitement identiques à celles du pauvre homme.
Tom Ward

On obtient la plus puissante et la plus redoutable des magies sataniques en vendant son âme au Diable. Toutefois, il se montre habituellement rusé et subtil, se réservant la meilleure part du marché, comme le démontre le récit qui va suivre :

LE PACTE DE FAUST

Faust, l'érudit le plus fameux de son temps, se désespérait du peu de connaissances qu'il avait acquis. Il maîtrisait les principales matières universitaires, mais aucune ne fournissait de réponse aux grandes questions qu'il se posait ni ne lui donnait le pouvoir auquel il aspirait. Il fit une rencontre funeste : celle d'un mage noir qui lui prêta un grimoire, un livre de magie contenant un sortilège pour invoquer le Diable ou l'un de ses serviteurs. Après avoir longuement hésité, Faust utilisa la formule et appela un des acolytes du Diable, un démon de rang inférieur appelé Méphisto. Pour le compte de son maître, Méphisto conclut un pacte avec Faust. En échange de la connaissance et du pouvoir, l'érudit remettrait son âme à minuit, vingt-quatre ans après l'établissement du contrat. Faust le signa de son sang. Il dut s'y reprendre à trois fois : les deux premières fois, le sang sécha avant qu'il ait eu le temps d'écrire son nom. Des anges, dit-on, avaient essayé de sauver son âme. Cependant, le pacte fut signé, et Faust, condamné à son destin.

Grâce à la magie satanique, Faust devint le mage le plus tristement célèbre du monde connu, invité à la cour des rois et des empereurs pour y démontrer ses talents : lévitation, disparitions, apparitions. Or, à mesure que le temps passait, Faust comprit qu'il avait été dupé. Il restait incapable de créer la vie ou de découvrir tous les secrets de l'univers. L'accès à ces mystères lui était refusé, car le Diable était incapable de le lui fournir. Ils appartiennent à la lumière, et la magie noire ne peut les atteindre.

À plusieurs reprises, Faust fut tenté de se repentir. Mais le Diable lui apparaissait alors sous son véritable aspect, l'emplissant d'une telle terreur qu'il persévérait dans sa voie fatale.

Les vingt-quatre années arrivèrent à leur terme. À minuit, le Diable viendrait s'emparer de l'âme de Faust.

Il voulut prier, s'efforça une dernière fois de se tourner vers la lumière. Il n'y réussit pas.

Trop d'années de mauvaises actions l'avaient perverti. Dans la pièce voisine, trois érudits de l'université priaient pour le salut de son âme, mais leurs prières ne furent pas entendues. À minuit, des bruits terribles retentirent dans la chambre : des coups, des claquements, des craquements, et, les dominant tous, les hurlements de Faust. Puis le silence retomba, terrifiant.

Les trois hommes attendirent les premières lueurs du jour pour pénétrer dans la pièce. Le plancher était imbibé de sang. Le Diable avait déchiqueté le corps du maudit avant d'emporter son âme dans les territoires de l'obscur.

Personne ne devrait passer un pacte avec le Malin. Pour ceux qui l'utilisent, la magie satanique est la plus dangereuse de toutes.

Golgoth

Connu également sous le nom de Seigneur de l'Hiver, il a été vénéré avec tant de ferveur par les premiers peuples de l'humanité qu'il put franchir un portail et parcourir la Terre pendant des milliers d'années. Il créait des poches de froid si extrême que la chair et les os des vivants, devenus cassants, se brisaient comme du verre. Golgoth est généralement tenu pour responsable d'au moins un des Grands Âges de Glace.

Golgoth

Il dort* à présent, sur la lande d'Anglezarke, sous un tumulus, appelé le Quignon de Pain à cause de sa forme arrondie. Pour la sécurité du Comté et du monde tout entier, espérons qu'il ne s'éveillera plus !

Héphaïstos

Héphaïstos[†] était le forgeron des Anciens Dieux ; il façonnait les outils et les armes dont ils avaient besoin quand ils habitaient notre Terre, aux origines du monde. À cette époque, les humains n'avaient pas encore émergé de leurs cavernes, où ils se terraient par crainte des terribles forces extérieures qui les auraient détruits. Héphaïstos est le seul dieu décrit comme laid. Certains prétendent qu'il était également boiteux. Il garde désormais le silence et dort dans l'obscur. Mais il laisse derrière lui un dangereux héritage.

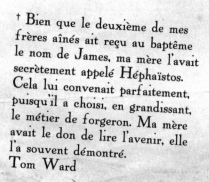

*De mon vivant, Golgoth s'est réveillé par deux fois, grâce à une intervention humaine : celle d'un de mes anciens apprentis, Morgan, qui s'était servi d'un grimoire.
John Gregory

[†] Bien que le deuxième de mes frères aînés ait reçu au baptême le nom de James, ma mère l'avait secrètement appelé Héphaïstos. Cela lui convenait parfaitement, puisqu'il a choisi, en grandissant, le métier de forgeron. Ma mère avait le don de lire l'avenir, elle l'a souvent démontré.
Tom Ward

Héphaïstos

Il existe encore, semble-t-il, des armes forgées par Héphaïstos. On prétend que la plus célèbre, une épée capable de fendre n'importe quelle armure et même la pierre, rend invincible celui qui la porte. Elle serait aussi une arme puissante contre les démons et autres créatures de l'obscur. Le dernier roi à l'avoir possédée fut trahi et tué, l'épée lui fut volée. Les gens disent que l'arme est à présent enfermée dans un ancien tumulus* avec le corps du roi, quelque part au sud du Comté. Toutefois, personne ne connaît l'endroit exact.

* Les tumulus sont des lieux aussi intéressants que mystérieux. La plupart ne contiennent probablement que de vieux ossements. Mais certains recèlent à coup sûr de puissants objets magiques.   *Morgan Hurst, apprenti*

Une autre arme forgée par Héphaïstos, et qui a également quitté la Grèce, est un marteau de guerre qui ne manque jamais sa cible et retourne toujours dans la main de son maître. Il serait en possession des strigoï, démons vampires qui résident en Roumanie (voir p. 125).

La Morrigan

Les sorcières celtes de la mystérieuse Irlande, une île située à l'ouest, au large des côtes du Comté, vouent un culte à la Morrigan. Personne ne connaît l'étendue exacte de ses pouvoirs, mais on la surnomme aussi la Déesse du Massacre.

La Morrigan

Répondant à l'invocation d'une sorcière, elle peut entrer dans notre monde en prenant la forme d'un gros corbeau. Si elle vient se poser sur votre épaule gauche, votre mort est proche.

Elle déchire parfois la tête de ses ennemis à coups de griffes, marquant ainsi ceux qui vont mourir. Sous cet aspect, elle hante les champs de bataille et dévore les yeux des cadavres et des agonisants*.

L'Ordinn

Cette déesse est la plus puissante servante de l'obscur en Grèce. Elle visite notre monde tous les sept ans. La plupart des divinités ne franchissent un portail qu'avec l'aide des humains. L'Ordinn n'en a pas besoin.

On sait peu de chose sur elle, en dehors de son inextinguible soif de sang*. Ses principales adoratrices sont les ménades, mais elle amène avec elle, à travers le portail, d'autres entités de l'obscur, en particulier des lamias ailées, des démons et des élémentaux ardents. Ces créatures massacrent tout sur leur passage,

* Alors que nous affrontions une banshie, la Morrigan, sous l'apparence d'un corbeau, s'attaqua à Bill Arkwright et lui laboura le crâne de ses serres. Un an plus tard, il trouva la mort en combattant l'Ordinn.
Tom Ward

L'Ordinn

et le carnage s'étend sur des miles à la ronde. Peu de gens ayant survécu pour le raconter, nous manquons de connaissances sur ces terribles apparitions. C'est une grande chance pour le Comté d'être resté jusqu'à présent hors d'atteinte.

Les ménades ne quittent pas leur terre natale, la Grèce. Elles tirent leur pouvoir d'un breuvage, vin et sang mêlés. Sous l'influence de l'Ordinn, elles sont prises de frénésie et se battent avec furie. Il arrive qu'elles se servent d'épées, mais leur force est si phénoménale qu'elles peuvent démembrer leurs ennemis à main nue. Elles régressent lentement, l'instinct prenant le pas sur leur intelligence. Il est probable qu'elles perdront peu à peu l'usage de la parole et seront bientôt, comme les sorcières d'eau, plus proches de la bête que de la femme.

Bien qu'elles vénèrent l'Ordinn et se rassemblent en grand nombre pour attendre son surgissement, elles ne sont guère récompensées de leur fidélité.

* J'ai vu l'Ordinn de près, et elle était véritablement terrifiante. Elle m'est apparue d'abord sous une apparence féminine, bien que dégageant une forte odeur de fauve, avec des dents effilées et une mâchoire puissante. Mais, après que je l'ai eu liée avec ma chaîne d'argent, elle s'est métamorphosée en une sorte d'énorme lézard aux écailles vertes : une salamandre. Elle a craché sur moi du feu et de la vapeur brûlante. Quand j'ai tenté de la tuer, mon bâton s'est brusquement enflammé et il est tombé en cendres. Tom Ward

Après que l'Ordinn et ses sbires ont ravagé le pays, elles se contentent de festoyer avec le sang des morts et des mourants.

Les ménades ont des scruteuses, mais n'utilisent pas de miroirs. Après avoir versé une grande quantité de vin dans la gorge d'une chèvre destinée au sacrifice, elles lui ouvrent le ventre pour étudier ses entrailles. Elles prétendent lire ainsi l'avenir*.

*Depuis sa dernière apparition, l'Ordinn est détruite. Ayant fait partie de l'équipe qui a mené cette action à bien, je suis en mesure de rapporter ce que j'ai appris.

Voir surgir le portail qu'utilisait l'Ordinn vous coupe le souffle. Une colonne de feu monte des entrailles de la Terre jusqu'au ciel. Avec elle émerge une citadelle gigantesque, appelée l'Ord, dix fois plus grande que la cathédrale de Priestown.

À l'intérieur, on rencontre une multitude de pièges et des êtres extrêmement dangereux, les pires étant sans doute les élémentaux ardents et les asters, sortes de boules de feu translucides.

C'était la première fois que j'affrontais des élémentaux, mais d'autres épouvanteurs avaient étudié leur comportement, ce qui m'a permis de les combattre. Nous avons toujours une dette envers nos prédécesseurs !

Sur les toits de la citadelle nous guettaient des subhumains, des âmes damnées, emprisonnées là depuis des décennies, entraînées par l'Ord à chaque fois qu'il repartait dans les entrailles de la Terre.

Ce qui m'inquiète, bien que nous n'ayons plus rien à craindre de l'Ordinn, c'est de ne pas avoir découvert comment elle surgissait dans notre monde sans aucune complicité humaine.

Si d'autres Anciens Dieux – comme Golgoth et Pan – ont également ce pouvoir, la vie sur Terre est plus que jamais menacée.

John Gregory

Pan (le Dieu Cornu)

Pan est l'un des Anciens Dieux vénérés à l'origine par les Grecs. Il règne sur les forces de la nature et se manifeste à l'occasion sous l'apparence d'un jeune garçon jouant de la flûte. Aucun chant d'oiseau n'égale ses mélodies, et les pierres elles-mêmes dansent au son de son instrument.

Pan

Sous son autre forme, il est la terrible divinité de la nature, dont l'approche emplit les humains de terreur ; son nom a donné le mot « panique ». À présent, sa sphère d'influence s'est élargie. Les mages caprins d'Irlande lui vouent un culte (voir p. 165). Après huit jours où s'accomplissent des sacrifices humains, Pan sort de l'obscur en franchissant un portail et prend brièvement possession du corps d'un bouc. Il distord horriblement la malheureuse bête, et cela pousse les mages à des actes plus sanguinaires encore.

Les portails

Ce sont les portes magiques par lesquelles les Anciens Dieux pénètrent dans notre monde*. Pour cela, ils ont généralement besoin d'une complicité humaine. Il existe quatre lieux où les portails peuvent s'ouvrir. En ces endroits évoluent naturellement des élémentaux, capables de devenir palpables et puissants.

---

* J'ai pu voir trois Anciens Dieux franchir un portail. Le premier fut Golgoth, quand Morgan le fit apparaître à l'aide d'un pentacle. Ma deuxième rencontre — et peut-être la plus étrange — eut lieu quand une sorcière banshie invoqua la Morrigan pour me tuer, lui offrant comme portail sa bouch[e] grande ouverte. Le troisième fut l'Ordinn, qui pénétra dans notre monde grâce à son propre portail de feu.
Tom Ward

Le premier est le Comté, où les sorcières se sont toujours efforcées de communiquer avec l'obscur, en particulier avec le Malin, et principalement la chaîne de collines des environs de Pendle, une région favorable à tous les types de magie noire.

Le deuxième est la Grèce. Mages et sorcières y communiquent avec l'obscur depuis les temps anciens, sans doute bien longtemps avant que de telles pratiques soient observées dans le Comté. C'est la terre où sévit l'Ordinn.

Il existe un troisième lieu, une région de Roumanie, la Transylvanie, aussi appelée la Terre au-delà des Forêts. Les vampires y sont légion, et le plus puissant des Anciens Dieux, Siscoï (voir ci-dessous), règne sur les montagnes et les bois. Avec la complicité des sorcières, il utilise souvent le portail.

Quant au quatrième, au sud-ouest de l'Irlande, c'est une terre mystérieuse habitée par les mages caprins et les sorcières celtes. Les premiers vénèrent Pan ; les autres rendent un culte à la Morrigan, la Déesse du Massacre (voir p. 84).

Siscoï

Ce puissant dieu vampire apparaît fréquemment dans la province roumaine de Transylvanie. Il gouverne les nombreuses créatures qui hantent les montagnes et les forêts de cette région isolée. Depuis sa demeure dans l'obscur, sans même passer par un portail, il a le pouvoir de ranimer les morts ou de posséder les vivants.

Si les épouvanteurs roumains utilisent des techniques efficaces contre les vampires ordinaires, ils sont totalement démunis face à Siscoï. Il est actuellement le plus actif et le plus maléfique des Anciens Dieux, surpassant en férocité l'Ordinn elle-même.

Siscoï s'habille parfois avec la peau d'un mort récemment enterré. Ses serviteurs désossent le cadavre avant de détacher soigneusement la peau des muscles. Les proches du mort voient alors apparaître l'enveloppe de l'être qu'ils ont aimé, simplement gonflée d'air. Mais, à mesure que Siscoï s'abreuve, la peau du cadavre se remplit de sang et prend une teinte rougeâtre.

Zeus

Autrefois souverain des Anciens Dieux, il reçoit parfois le titre de Roi des Dieux. Comme ses sujets, il a jadis parcouru la Terre, mais il n'a pas franchi de portail depuis des milliers d'années. Son culte n'étant plus guère célébré en Grèce, ses pouvoirs se sont amoindris.

En tant que seigneur des tempêtes et maître du ciel, il a pour arme préférée la foudre, avec laquelle il réduit ses ennemis en cendres. Zeus a eu plusieurs enfants, nés de ses nombreuses relations avec des humaines. Sa femme Héra, jalouse, s'est vengée de celles qu'elle avait découvertes, en particulier Lamia (voir p. 109).

Une sorcière de Pendle

LES SORCIÈRES

Les sorcières parcourent la Terre depuis la nuit des temps, élaborant des charmes, des sortilèges et des rituels de plus en plus complexes. Elles ont appris peu à peu à extraire des plantes poisons ou remèdes. Certaines sont de bienveillantes guérisseuses, qui marchent vers la lumière et viennent en aide à leurs communautés. D'autres choisissent de s'allier à l'obscur, qui les appâte en leur donnant la maîtrise de la magie noire en échange de leur âme.

COMMENT RECONNAÎTRE UNE SORCIÈRE

Au fil des âges, les religions en sont venues à considérer les sorcières comme des rivales, et les persécutions ont commencé. Elles ont été brûlées, pendues, noyées ou décapitées. Il existe des tests censés prouver si une femme est sorcière ou non. Ils sont généralement utilisés par un chasseur de sorcières ou un inquisiteur – un agent de l'Église –, bien que certaines communautés établissent leurs propres lois.

La plupart de ces tests n'ont aucune valeur ; les épouvanteurs ne s'y fient pas*.

L'épreuve de l'eau est l'une des plus répandues. La suspecte est emmenée jusqu'à l'étang le plus proche, les mains liées à ses pieds, pour y être jetée. Si elle flotte, elle est considérée comme coupable de sorcellerie, et on la brûle sur un bûcher. Si elle coule, son innocence est avérée. Or, en coulant, bien des innocentes se noient ou meurent ensuite d'une pneumonie. L'épreuve de l'eau n'est pas une méthode fiable : que la femme flotte ou coule est une question de chance ou de constitution physique†.

*Tester une sorcière ?
Le principe de base est de ne faire confiance à aucune femme. Et moins encore à une femme portant des souliers pointus.
John Gregory

† Ce principe n'est pas dépourvu d'intérêt, c'est sa mise en œuvre qui est inadéquate. Le test devrait plutôt se faire dans une rivière ou un torrent, la plupart des sorcières étant incapables de traverser une eau courante. L'eau de mer leur est également toxique, à cause de sa concentration en sel.
Bill Arkwright

Le test de l'aiguille est tout aussi cruel. On enfonce une alène ou une aiguille acérée dans la chair de la suspecte dans le but d'y trouver la Marque du Diable, un point du corps qui ne ressent pas la douleur. La marque est généralement invisible, mais un grain de beauté ou une tache sur la peau sont considérés comme une preuve. Cette méthode ne permet pas non plus de démasquer une véritable sorcière.

La presse nécessite l'utilisation de treize lourdes pierres. La supposée sorcière est liée à une planche de bois, et on dépose les pierres une à une sur son corps. Lorsqu'elles sont toutes en place, on attend une heure avant de les ôter. Si la femme survit, cela signifie que le Diable l'a sauvée, et elle est pendue. Certains inquisiteurs utilisent des pierres si pesantes que leur victime meurt, soit d'étouffement soit d'hémorragie interne.

Dans certains pays, les inquisiteurs utilisent la presse pour extorquer des aveux à une suspecte. Après la onzième pierre, elle est à peine capable de respirer. Un seul signe de tête de sa part, et elle est libérée. Mais, en admettant être sorcière, l'infortunée a signé sa condamnation à mort.

Les sorcières humaines

Les sorcières d'eau et les lamias ne sont qu'en partie humaines. Toutes les autres peuvent être classées en quatre grandes catégories.

LES BÉNÉVOLENTES

Elles sont instruites et possèdent une grande connaissance des herbes et des potions. Certaines sont sages-femmes ; d'autres, guérisseuses. Un grand nombre de personnes leur doivent la vie. Elles servent la lumière et ne gagnent que peu d'argent. Si leurs patients sont pauvres, elles travaillent gratuitement.

On rencontre dans le Comté beaucoup de ces bénévolentes. Voici les plus connues :

Maddy Hermside, de Kirkham
Jenny Bentham, d'Oakenclough
Eliza Brinscall, de Sabden
Angela Nateby, de Belmont
Emma Hoole, de Rochdale
Madge Claughton, de Samlesbury *

Les épouvanteurs et leurs apprentis peuvent s'appuyer sur leur savoir et sur leurs dons de guérisseuses. Il arrive de temps à autre qu'une accusation de sorcellerie soit portée contre elles. Nous devons alors être capables de les défendre et de les réhabiliter auprès de leurs voisins si nécessaire.

* Agnès Sowerbutts, de Pendle, pourrait être classée parmi les bénévolentes. Cependant, son statut est incertain. Bien que guérisseuse, elle utilise un miroir à des fins magiques, une pratique généralement considérée comme appartenant à l'obscur.

Tom Ward

LES FAUSSEMENT ACCUSÉES

Bien des malheureuses, victimes de commérages malveillants, sont persécutées à tort. Parfois, il s'agit d'un complot monté par leurs voisins avec les chasseurs de sorcières en vue de s'emparer des biens d'une innocente condamnée.

LES PERNICIEUSES

Elles tirent leurs pouvoirs de l'obscur et poursuivent leurs propres buts, soit dans une totale indifférence quant aux conséquences pour autrui, soit dans l'intention délibérée de faire du mal. Si certaines se font les fidèles servantes du Malin, d'autres n'agissent qu'en vue de leur intérêt personnel.

Elles présentent une large gamme de pouvoirs et de talents. Pour les moins douées, la sorcellerie n'est qu'un moyen de survivre, de manger à sa faim et de s'assurer un abri contre les rigueurs de l'hiver. Celles-là ne sont guère que des mendiantes. Mais la prospérité ou la débâcle d'un royaume peut dépendre des caprices d'une puissante sorcière.

COMMENT MÈRE MALKIN
FUT ENTRAVÉE

La plus dangereuse des pernicieuses auxquelles j'ai eu affaire fut sans aucun doute Mère Malkin. Elle avait un long passé de tueuse d'enfants. Elle habitait une zone marécageuse, à l'extrême ouest du Comté, où elle proposait de recueillir des jeunes femmes enceintes sans mari. Ce fut cette entreprise faussement charitable qui lui valut le titre de Mère.

En vérité, c'était une ruse cruelle : des années plus tard, quand les habitants des villages voisins, pris de soupçons, la chassèrent, ils découvrirent dans un champ des tombes emplies d'ossements et de corps en décomposition. Elle avait tué les mères et leurs bébés pour étancher son insatiable soif de sang.

Mère Malkin

J'avais passé l'hiver dans ma maison d'Anglezarke. Je regagnai Chipenden, à la fin du printemps, pour découvrir que le village avait vécu dans la terreur pendant mon absence. Mère Malkin ne travaillait pas seule, elle avait avec elle son fils, un être abominable appelé Tusk, et sa petite-fille, Lizzie l'Osseuse. Pendant tout ce long hiver, les gens s'étaient terrés chez eux dès la tombée de la nuit, tandis que les trois créatures passaient leur temps à voler, menacer et tuer.

Cinq enfants avaient été enlevés, le dernier depuis plus d'un mois, ce qui ne laissait aucun espoir. Les pauvres petits avaient sûrement été sacrifiés pour servir à la magie du sang. Je ne pouvais qu'empêcher d'autres rapts en réglant leur compte aux deux sorcières et à leur hideux complice. Retrouver leurs traces ne fut pas difficile, car ils avaient élu domicile dans une ferme abandonnée, à trois miles de ma maison de Chipenden.

Il me fallait faire un choix : je n'avais qu'une seule chaîne d'argent, je ne pourrais donc entraver qu'une seule sorcière. J'avais déjà creusé la fosse qui l'accueillerait dans mon jardin est. J'espérais toutefois chasser mes deux autres adversaires et sécuriser les environs une fois de plus. Je décidai de m'occuper d'abord de la créature. Les villageois l'avaient surnommée Tusk[1] à cause des énormes canines recourbées qui saillaient hors de sa bouche. Il était doué d'une force colossale ; je ne devais en aucun cas le laisser m'approcher de trop près. La plupart de ses victimes retrouvées dans le marécage avaient les côtes cassées. Tusk les avait étouffées entre ses bras musculeux, leur brisant les os. Une nuit, je le

Tusk

guettai au retour de l'une de ses rapines. Quand il apparut, son butin dans un sac sur l'épaule, je le suivis entre les arbres.

– Pose ça, voleur ! lui lançai-je.

J'avais mis dans ma voix un mélange d'autorité et de mépris dans l'intention de l'agacer, pour qu'il se jette sur moi sans réfléchir. Le stratagème marcha presque trop bien ! Laissant tomber son sac, il pivota à une vitesse inimaginable et chargea avec un mugissement de taureau furieux. Je fis un pas de côté, lui assénai un violent coup de bâton à la tête, et il s'écroula lourdement. Il se remit aussitôt sur ses pieds pour foncer de nouveau. J'eus le temps de parer quatre ou cinq de ses attaques, l'envoyant même à terre à deux reprises. Mais son agressivité redoublait, et je commençais à me fatiguer. Je craignais qu'il réussisse à me saisir à bras-le-corps. J'avais encore deux sorcières à combattre, il était temps d'en finir.

1. Tusk signifie défense (NDT).

Je fis sortir la lame rétractable de mon bâton. J'étais prêt à le tuer ; après tout, il avait sa part de responsabilité dans les meurtres des enfants. Quand il chargea encore une fois, je le blessai à l'épaule. Ce n'était pas suffisant pour le décourager, et je le frappai au genou. Il s'écroula dans les hautes herbes, hurlant de douleur à la manière d'un chien fouetté avant de s'éloigner en rampant. Je le laissai aller. Cette menace écartée, les sorcières étaient ma priorité.

Je me dirigeai vers la maison de Mère Malkin et de Lizzie l'Osseuse. Comme je m'y attendais, elles avaient flairé mon approche et me guettaient derrière les arbres. Elles étaient fortes et extrêmement pernicieuses. La vieille, Mère Malkin, utilisa contre moi un puissant sortilège de magie noire, *l'horrification*. Je n'avais jamais rien éprouvé de semblable.

Mère Malkin
et Lizzie l'Osseuse

Une vague de terreur me submergea, je me mis à trembler, à frissonner, à transpirer. Pendant quelques instants, je fus même paralysé : je restai là, cherchant désespérément mon souffle, tandis que la plus jeune, Lizzie l'Osseuse, s'avançait lentement, une flamme de convoitise dans les yeux, une lame affilée à la main, prête à prendre ma vie et mon sang.

Le sortilège altérait mes perceptions. Les deux femmes m'apparaissaient sous la forme de démons aux têtes cornues, aux langues fourchues, aux crocs de serpents. Au prix d'un terrible effort de volonté, je fis sauter la dague des mains de Lizzie d'un revers de bâton. Puis je l'assommai d'un coup à la tempe avant de diriger mon attention vers Mère Malkin. Elle était de loin la plus dangereuse des deux, celle que je devais entraver.

Je m'armai de ma chaîne d'argent, cachée sous mon manteau, et l'enroulai autour de mon poignet. À mesure que j'avançais, elle reculait prudemment. La technique du lancer de chaîne exige un long entraînement ; je m'y exerçais régulièrement contre un poteau planté dans mon jardin. Évidemment, il est beaucoup plus difficile d'atteindre une cible mouvante, d'autant que d'autres facteurs entrent en ligne de compte, comme la force du vent et la déclivité du sol.

Je lançai la chaîne, qui retomba en une spirale parfaite, plaquant les bras de la sorcière à son corps et lui fermant la bouche, les lèvres retroussées sur les dents. Elle s'effondra dans les hautes herbes et se tortilla en tous sens pour se libérer, sans succès. Je la saisis par le pied gauche et la traînai sur une longue distance jusqu'à ce qu'elle se tienne tranquille. Quand elle cessa de gigoter, je la balançai sur mon épaule et la transportai dans mon jardin est, où je la jetai dans la fosse déjà creusée. En traversant les faubourgs du village, j'avais requis au passage les services du maçon et du forgeron.

Suivant mes directives, ils entourèrent la fosse d'une bordure de pierre à laquelle ils scellèrent treize barres de fer. La sorcière était solidement enfermée, et j'étais plutôt content de moi. Or, cette nuit-là, à ma grande surprise, l'autre sorcière s'approcha du jardin dans l'espoir de délivrer Mère Malkin. Le gobelin poussa un rugissement qui dut la faire sauter en l'air. Elle prit ses jambes à son cou, et je me lançai à ses trousses. Les ruisseaux qui coulent à l'est de Chipenden compliquaient sa fuite. Il n'existe pas, par ici, d'écluses de sorcières comme on en trouve dans la région de Pendle*.

Toutefois, elle avait une bonne longueur d'avance, et je ne réussis pas à la rattraper. Je me contentai de l'effrayer en lui décrivant d'une voix forte quel horrible sort l'attendait si elle s'avisait de revenir. Quand elle se retourna pour évaluer

* La région de Pendle étant traversée de nombreuses rivières, les sorcières durent inventer des moyens de circuler. C'est ainsi que furent créées les « écluses de sorcières ». Un système de poulies permet d'abaisser en travers du cours d'eau une planche solide qui coulisse dans une encoche le long de deux poteaux enfoncés sur chaque rive. La planche s'insère ensuite dans une tranchée creusée dans le lit de la rivière. L'eau qui s'accumule derrière ce barrage finit par déborder. Mais cela donne à plusieurs sorcières le temps de traverser sans danger.
John Gregory

la distance entre nous, je fis tournoyer ma chaîne d'argent au-dessus de ma tête pour appuyer mes dires.

Après quoi, je la laissai partir, persuadé que la présence du gobelin et le funeste destin de Mère Malkin avaient suffi à l'effrayer et qu'elle ne s'aventurerait plus jamais dans les environs*.

Le lendemain, je me mis en quête de Tusk : après réflexion, j'avais décidé de le tuer. Il y avait des taches de sang sur l'herbe et des marques visibles de son passage. Puis celles-ci disparaissaient mystérieusement, sans aucun doute effacées par magie noire. En dépit de mes efforts pour retrouver sa trace, ma traque dut s'arrêter là*.

* Aujourd'hui, je ne commettrais plus de telles erreurs.
La suite des évènements a montré que j'avais eu tort de laisser Lizzie l'Osseuse s'échapper. Et que j'aurais également dû tuer Tusk quand j'en avais l'occasion. Des années plus tard, ils sont revenus tous deux à Chipenden dans l'intention de libérer Mère Malkin. Mon apprenti, Tom Ward, a failli y laisser la vie. (Comment nous sommes finalement venus à bout de Mère Malkin est rapporté dans le carnet personnel de Tom Ward.) J'ai toujours eu une tendance à la miséricorde. Je l'ai parfois payé cher.
John Gregory

*D'après ce que nous avons pu apprendre depuis le retour du Malin dans notre monde, il est plus que probable que Tusk soit un semi-homme, fruit d'une union entre le Diable et Mère Malkin.
John Gregory

LES INCONSCIENTES

Il se peut qu'une sorcière vive toute son existence sans découvrir son potentiel. Cela n'arrive jamais dans les communautés comme celle de Pendle : là, une inconsciente est rapidement détectée par le conventus (voir p. 129), et on la presse de développer ses aptitudes. Mais, dans certains villages isolés, cette disposition peut sauter deux ou trois générations avant de se manifester chez une fillette. Cela se passe souvent dans un moment de crise : par exemple, si sa vie ou celle d'une personne aimée se trouve en danger, ses pouvoirs latents se réveillent brusquement. Même dans ce cas, beaucoup attribuent la chose à un « miracle » ou à l'intervention de quelque divinité plutôt que d'en reconnaître la véritable nature.

Les sorcières celtes

Elles viennent principalement des régions situées au sud-ouest de l'Irlande, aussi appelée l'Île d'Émeraude à cause de ses prairies luxuriantes, conséquences d'un climat encore plus pluvieux que celui du Comté. C'est une terre chargée de mystère, souvent enveloppée de brouillard.

On connaît mal ces sorcières celtes, qui vénèrent une ancienne déesse, la Morrigan (voir p. 84) et travaillent en solitaires. (Elles n'appartiennent pas à un clan.) Elles s'allient temporairement avec les mages caprins, qui les utilisent comme tueuses pour se débarrasser de leurs ennemis.

Les sorcières lamia

La première Lamia fut une magicienne d'une grande beauté. Elle aimait Zeus, roi des Anciens Dieux, déjà marié à la déesse Héra. Lamia eut l'imprudence de lui donner des enfants. Quand Héra le découvrit, elle les tua tous, à l'exception d'un seul. La perte de ses petits rendit Lamia folle de douleur. Elle se mit à massacrer des enfants partout où elle passait, à tel point que ruisseaux et rivières charriaient des flots de sang et que l'air vibrait des cris de désespoir des parents. Les dieux finirent par la châtier en transformant le bas de son corps en queue de reptile.

Dès lors, elle s'intéressa aux jeunes gens. Elle les attirait dans une clairière, ne montrant que son merveilleux visage et ses superbes épaules. Dès que sa victime était assez proche, elle l'étouffait entre ses anneaux de serpent tandis que sa bouche, collée au cou du malheureux, le vidait de son sang jusqu'à la dernière goutte.

Lamia eut par la suite un amant du nom de Chaemog, une créature-araignée qui résidait dans les plus profondes cavernes de la Terre. Elle eut de lui trois filles, des triplées, qui furent les premières sorcières lamias. Lorsqu'elles eurent treize ans, elles se querellèrent avec leur mère et, après une lutte sans merci, lui arrachèrent les membres et mirent

Chaemog

son corps en pièces. Elles jetèrent les morceaux, le cœur compris, en pâture à une horde de sangliers*.

Les trois lamias, parvenues à l'âge adulte, répandirent la terreur dans tout le pays. Elles pouvaient vivre un nombre incalculable d'années et, par parthénogenèse (sans avoir besoin d'un géniteur), chacune donna naissance à plusieurs filles. Au cours des siècles, la race des sorcières lamias se mit à évoluer, et leur organisme se modifia. Celles qui fréquentaient les humains prenaient leurs caractéristiques et engendraient parfois des créatures hybrides. Celles qui les évitaient conservaient leur apparence première et continuaient de produire des filles sans père.

Les sorcières lamias sont désormais classées en deux catégories, les *sauvages* et les *domestiques*. Les premières ressemblent aux triplées sorties des entrailles de Lamia. Sous leur forme originelle, elles courent sur leurs quatre pattes terminées par des griffes acérées, se nourrissent du sang des bêtes ou des humains. Elles utilisent la magie du sang et

* Quand maman me révéla qu'elle était Lamia, la première de toutes, je refusai de la croire : celle-ci n'avait-elle pas été tuée par ses propres filles ? À cela elle me répondit simplement :
« Ne crois pas tout ce que disent les livres, mon fils. »
Tom Ward

contraignent leurs victimes à s'approcher, les tenant en leur pouvoir comme une hermine fascine un lapin. La Grèce est leur patrie, mais elles voyagent souvent loin de ses frontières. On a même pu en voir dans le Comté.

Les secondes paraissent humaines. Seule une ligne d'écailles vertes et jaunes marque encore leur colonne vertébrale. Elles utilisent elles aussi la magie du sang, augmentée de celle des ossements. Certaines possèdent également des compagnons familiers (voir « Les pouvoirs des sorcières », p. 134).

Les lamias se transforment avec une grande lenteur. Celles qui vivent dans nos sociétés prennent peu à peu l'appa-rence de femmes. Le contraire se vérifie aussi. Enfermée dans une fosse ou privée de communication avec les humains, une lamia domestique reprend graduellement sa forme sauvage.

Certaines lamias sauvages, appelées vangires*, ont des ailes et peuvent voler sur de courtes distances, fondant sur leurs victimes du haut des airs. Elles sont peu nombreuses et semblent condamnées à l'extinction.

Une lamia sauvage

Les lamias hybrides prennent de nombreuses formes. Celles qui sont nées d'un père humain ne sont ni totalement humaines ni totalement lamias.

* À l'intérieur de l'Ord, des centaines de vangires, appelées par le Malin, grossissaient les rangs des servantes de l'Ordinn. On en voit rarement ailleurs. Tom Ward

Une vangire

MEG SKELTON

La sorcière est l'ennemie jurée de tout épouvanteur, et il m'en coûte de confesser que le grand amour de ma vie fut la sorcière Meg Skelton. Dans ma jeunesse, je l'avais délivrée de la tour où un semi-homme, une créature féroce qui terrorisait la région, la tenait emprisonnée.

Après avoir tué son affreux geôlier, je trouvai Meg ligotée avec une chaîne d'argent. Je la déliai, et sa beauté était telle que je tombai aussitôt amoureux d'elle. Au matin, je découvris la ligne d'écailles vertes et jaunes le long de sa colonne vertébrale : Meg était une lamia sous sa forme domestique. Mon devoir était de l'empêcher de nuire. Or, après l'avoir traînée jusqu'à la fosse que j'avais creusée pour elle, je ne pus me résoudre à l'y jeter. L'amour entrave un homme plus sûrement qu'une chaîne d'argent !

Nous quittâmes les lieux main dans la main, et passâmes ensemble, à Chipenden, un mois de bonheur parfait. Malheureusement, Meg était d'un caractère obstiné. En dépit de mes mises en garde, elle insistait pour faire les courses elle-même. Ayant la langue aussi affûtée qu'un rasoir de barbier, elle ne tarda pas à se disputer avec certaines femmes du village. Les chicanes tournèrent en querelles. Sans aucun doute, il y avait des torts des deux côtés. Mais, Meg étant sorcière, elle fit usage de sortilèges.

Elle ne causa pas de dommages sérieux à ses ennemies. L'une d'elles se trouva affligée d'une éruption de furoncles ;

une autre, une ménagère obsédée par la propreté, vit sa cuisine infestée de cafards. Dans le village, cependant, on commença à murmurer. Une femme cracha sur Meg en pleine rue et reçut une bonne claque en retour. Les choses en seraient restées là si la personne en question n'avait été la sœur de l'officier de police.

Un matin, la cloche sonna au carrefour des saules, et je m'y rendis pour savoir qui requérait mes services. Au lieu d'un pauvre fermier tourmenté par quelque gobelin, je découvris notre corpulent gendarme, la matraque à la ceinture, les poings sur les hanches.

— Monsieur Gregory, on a porté à mon attention que vous hébergiez une sorcière, déclara-t-il d'un air faraud. La personne connue sous le nom de Margery Skelton a usé de sortilèges contre d'honnêtes femmes de notre commune. On l'a vue aussi, par une nuit de pleine lune, ramasser des herbes et danser nue au bord d'une mare, près de la ferme de Homeslack. Je suis ici pour l'arrêter et vous prie de me l'amener immédiatement.

Il était vrai que Meg cueillait des herbes à la pleine lune. Il lui arrivait également de danser nue. Mais elle avait assez de pouvoir pour empêcher qui que ce soit de la voir dans cette tenue. Autrement dit, cette dernière accusation était infondée.

— Elle n'habite plus chez moi, déclarai-je. Elle s'est rendue à Sunderland pour embarquer vers son pays d'origine, la Grèce.

C'était un pur mensonge, mais il n'était pas question que je lui livre Meg. Il l'aurait emmenée à Caster, où elle aurait fini au bout d'une corde.

Le bonhomme parut fort mécontent. Il devait pourtant se satisfaire de ma déclaration. Étant de la commune, il n'aurait jamais eu l'audace de pénétrer chez moi, par peur du gobelin. Il repartit donc, bredouille et beaucoup moins faraud. Désormais, je devais garder Meg à l'écart du village. La tâche se révéla difficile et fut la cause de maintes disputes entre nous. Puis les choses commencèrent à mal tourner.

Sur les instances de sa sœur, le gendarme s'était rendu à Caster pour déposer une plainte auprès du juge. À la suite de quoi on délégua un jeune officier de police, muni d'un mandat d'arrestation. N'étant pas de la région, ce garçon aurait pu tenter de pénétrer dans mon jardin. Par chance, je me tenais sur mes gardes, car le forgeron du village m'avait averti. Avec son appui, je réussis à convaincre l'officier que Meg avait quitté le Comté pour toujours.

J'avais évité de peu le désastre, et cela me décida. Mon ancien maître, Henry Horrocks, m'avait légué une autre maison, à la lisière de la lande d'Anglezarke. Je n'y avais séjourné qu'une fois et l'avais jugée peu confortable. À présent, elle allait m'être utile. À la fin de l'automne, Meg et moi prîmes la route d'Anglezarke au milieu de la nuit.

C'était un endroit sinistre, venteux, isolé par le gel et la neige pendant les longs mois d'hiver. La maison, dépourvue de jardin, était bâtie dans un ravin, adossée à une paroi rocheuse qui la gardait dans l'ombre presque toute la journée. Elle comprenait dix chambres, dont une au grenier, et plusieurs niveaux de cave. Même si on allumait du feu dans toutes les cheminées, les pièces restaient froides et humides. Impossible d'y conserver des livres. Néanmoins, nous nous installâmes de notre mieux et fûmes heureux quelque temps.

Or, de nouveau, Meg insista pour faire les courses. Je réussis à la persuader d'éviter Blackrod, un village où j'avais de la famille, mais elle eut bientôt des histoires avec les habitantes d'Adlington.

Les choses commencèrent de la même façon qu'à Chipenden. Au début, ce n'était que les accusations habituelles : usage de sortilèges – une femme souffrait de terreurs nocturnes, une autre n'osait plus sortir de chez elle. Cette fois, personne n'appela les gendarmes, car les gens du coin ne supportent pas qu'on se mêle de leurs affaires ; ils préfèrent régler leurs problèmes eux-mêmes.

J'interdis à Meg de retourner au village et j'embauchai Bill Battersby, un homme à tout faire, pour nous livrer notre nourriture. Elle en fut irritée, et nous nous disputâmes aigrement. Après quoi, il régna entre nous une froideur aussi pénible que celle de l'hiver sur la lande d'Anglezarke. Trois jours plus tard, en dépit de mes protestations, Meg repartit faire les courses.

Cette fois, l'affaire se termina dans la violence. Une dizaine de femmes du village lui tombèrent dessus sur la place du marché. Bill Battersby me raconta plus tard qu'elle s'était défendue à coups de poing comme un homme, mais aussi à coups de griffes comme un chat, manquant d'éborgner la meneuse du groupe. On l'avait finalement assommée avec un pavé et ligotée à l'aide de cordes.

Seule une chaîne d'argent peut réellement maintenir une sorcière. Les femmes avaient tout de même eu le temps de l'emporter jusqu'à l'étang ; après avoir brisé la glace avec des pierres, elles l'avaient jetée à l'eau. Si elle avait coulé, elle aurait été reconnue innocente ; si elle avait flotté, elle aurait été brûlée.

Meg avait flotté, mais le visage dans l'eau. Au bout de cinq minutes, voyant qu'elle ne bougeait plus, les femmes la crurent noyée. Elles s'estimèrent satisfaites et l'abandonnèrent où elle était.

C'est Battersby qui l'avait tirée de l'étang. Elle aurait dû être morte, sans son incroyable résistance. À sa grande stupeur, il la vit bientôt tousser, recracher l'eau sur la rive boueuse. Il me la ramena sur le dos de son poney, dans un état pitoyable. Quelques heures plus tard, totalement rétablie, elle commençait à ourdir sa vengeance.

J'avais déjà longuement réfléchi à diverses solutions. Je pouvais la jeter dehors, l'envoyer courir sa chance à travers le monde. Or, cela m'aurait brisé le cœur, car je l'aimais toujours. Ce fut ma connaissance des plantes qui me sortit d'embarras : une certaine herbe, préparée en tisane, plonge une sorcière dans un profond sommeilpendant plusieurs mois. À plus faible dose, elle lui laisse la possibilité de marcher et de parler, tout en affectant sa mémoire, de sorte qu'elle oublie les arts obscurs. Je décidai d'employer cette méthode.

J'eus du mal à doser le breuvage. Et je me désolai de voir Meg devenue aussi docile, dépourvue de ce caractère fougueux qui m'avait tant séduit. À tel point qu'elle me semblait parfois devenue une étrangère. Le plus douloureux fut de me résoudre à l'abandonner à Anglezarke pour retourner passer l'été à Chipenden. Je le devais, pourtant, sinon elle serait reprise par la justice. Je redoutais qu'on l'emmène à Caster pour la pendre. Je l'enfermai dans une des chambres sans lumière de la cave, plongée dans une transe si profonde qu'elle respirait à peine.

Je partis à Chipenden, le cœur lourd. Bien que j'aie expérimenté tout l'hiver les effets de la tisane, je craignais toujours de l'avoir mal dosée. Trop forte, Meg cesserait de respirer ; trop faible, elle s'éveillerait, seule dans une cellule obscure, obligée d'attendre mon retour pendant de longues semaines. Je vécus notre séparation forcée dans le chagrin et l'anxiété.

Par chance, le dosage était bon. Lorsque je revins, à la fin de l'automne, Meg s'éveillait. Je lui avais imposé une dure épreuve ; du moins ne fut-elle pas pendue. Et le Comté n'eut pas à subir ses méfaits.

La leçon à tirer de tout ceci, je veux que mes apprentis en prennent bonne note. Un épouvanteur ne doit jamais s'attacher à une sorcière par un lien sentimental. Cela compromet sa position et l'entraîne dangereusement vers l'obscur. J'ai plus d'une fois manqué à mes devoirs envers le Comté, mais ma relation avec Meg Skelton a été ma plus grande faute.

Les sorcières d'eau

Plus proches de la bête que de l'humain, elles ont presque toutes perdu l'usage de la parole. Elles vivent dans les marais, les rivières, les canaux et les douves. Contrairement aux autres sorcières, elles ne craignent pas de traverser les eaux courantes*. Toutefois, elles ne peuvent utiliser de miroirs, ni pour communiquer entre elles ni pour espionner. On les surnomme

> *L'eau de mer, avec sa forte teneur en sel, est toxique pour les sorcières.
> (Plongées trop longtemps dans l'eau de mer, les sorcières d'eau finissent aussi par mourir.) Toutefois, les voyages en mer leur sont permis, à condition qu'elles restent autant que possible dans la cale et qu'elles se vêtent de façon à protéger leur peau des embruns.
> John Gregory

Bill Arkwright utilise une solution à base de sel dans les fosses où il enferme les sorcières d'eau. Cela les rend dociles. Il a également entouré son domaine d'un fossé empli d'eau salée pour tenir les autres à distance.
Graham Cain, apprenti

communément les *Dents Vertes*, à cause de la bave verdâtre qui leur poisse la bouche. Tous les parents apprennent à leurs enfants à ne jamais s'approcher des lieux où des Dents Vertes aiment à se tapir.

Elles ont des nez osseux, dépourvus de chair, et des canines recourbées démesurément allongées. Elles crochètent leurs proies avec leurs griffes acérées. Quelquefois, elles les saisissent par une joue ou par une oreille, mais elles préfèrent leur transpercer la mâchoire inférieure et refermer les doigts autour de leurs dents, ce qui leur donne une prise solide. Il est alors presque impossible à la victime de se dégager. Elle est entraînée dans l'eau ou dans la vase, où elle est vidée de son sang.

MORWÈNE

C'est la plus ancienne et la plus puissante de toutes les sorcières d'eau. Fille du Malin et d'une sorcière qui logeait dans d'humides et profondes cavernes, elle a sans doute plus de mille ans.

Douée de tous les attributs de ses semblables (quoique encore plus forte et plus rapide), elle a un œil empli de sang dont le regard paralyse ses victimes. Toutefois, elle ne peut l'utiliser que contre une seule personne à la fois. Pour conserver le pouvoir de cet œil, elle attache sa paupière supérieure à sa paupière inférieure à l'aide d'une aiguille en os. Une autre de ses faiblesses – plus marquée encore que chez les autres créatures de son espèce – est qu'elle ne peut demeurer trop longtemps hors de son élément, les marécages. Sinon, ses forces déclinent.

Morwène

Pour un exposé plus complet, se référer à l'ouvrage de Bill Arkwright, *Morwène*.

Les sorcières roumaines

Ce qui différencie ces créatures des sorcières d'autres pays est de deux ordres :

1. Leur capacité de projeter leur esprit hors de leur corps pendant leur sommeil. Elles rencontrent alors d'autres esprits au fond des forêts et prennent l'aspect de globes lumineux flottant dans une sorte de danse. Ils sont toujours en nombre impair, généralement sept, neuf ou onze.

2. Les humains qui voient ces lumières dansantes sont attirés vers elles de façon irrésistible et tombent bientôt en leur pouvoir. Quand la danse s'achève, ils meurent, les sorcières ayant absorbé peu à peu toute leur force vitale.

Les sorcières roumaines n'utilisent ni la magie du sang ni celle des ossements, mais la magie *animiste* : elles aspirent l'essence même de leurs victimes (voir p. 134). Elles s'en servent, avec des rituels et des incantations, pour tirer davantage de pouvoir de l'obscur.

Elles vénèrent Siscoï, l'Ancien Dieu de Roumanie. Elles ont le pouvoir de lui faire franchir un portail à minuit. Il doit cependant quitter notre monde avant l'aube. Elles font aussi alliance avec les strigoï (voir p. 204), des démons vampires, et contrôlent les élémentaux propres à la Transylvanie, les moroï (voir p. 225), qui les aident à vider les humains de leur vitalité. La puissante magie noire ainsi obtenue leur permet :

1. De faire surgir de l'obscur leur dieu vampire, Siscoï.
2. De tuer leurs ennemis.
3. De lire l'avenir.
4. De gouverner les humains qui vivent sur leur territoire.
5. D'amasser de grands biens.

Les sorcières roumaines sont immensément riches et vivent en solitaire dans de vastes demeures isolées. Elles ne forment pas de clans. Elles ne se réunissent que pour projeter leurs esprits hors de leurs corps, composant alors des conventus temporaires.

LES REGROUPEMENTS DE SORCIÈRES

Les clans

Un clan réunit plusieurs familles, qui ne sont pas uniquement composées de sorcières. Mais tous leurs membres soutiennent celles qui le sont.

Les trois principaux clans de Pendle sont les Malkin, les Deane et les Mouldheel. Les sorcières choisissent le plus souvent les lieux qui leur fournissent une source de pouvoir ou dont l'atmosphère convient particulièrement à la magie noire. Ce fut l'aspect sinistre de la région qui attira ces clans.

Les premiers à s'y installer furent les Malkin, qui opèrent depuis leur place forte, la Tour Malkin. Leur clan est non seulement le plus ancien mais aussi le plus fort. La tour appartenait à l'origine à un propriétaire terrien, Benjamin Wright. Énergique et têtu, il tint tête aux sorcières pendant trois ans. Après avoir usé de sortilèges et de poisons, elles finirent par enlever son fils, et il céda. Après qu'il eut quitté la tour, son fils fut relâché.

Trop tard, hélas ! Le garçon était devenu fou : il mourut dans l'année.

Depuis, le fort est connu sous le nom de Tour Malkin. Les sorcières l'agrandirent, principalement avec des souterrains, où elles creusèrent des cachots et un tunnel pour s'échapper en cas de danger. Le mortier soudant les pierres des nouvelles constructions est d'un brun sombre, car il contient du sang humain et de la poudre d'os. Habituellement, la tour n'est occupée que par le conventus et quelques serviteurs. Le reste du clan réside au village de Goldshaw Booth.

Les Deane originaires d'Irlande, cette terre humide et brumeuse au large des côtes ouest du Comté, arrivèrent plus tard par bateau.

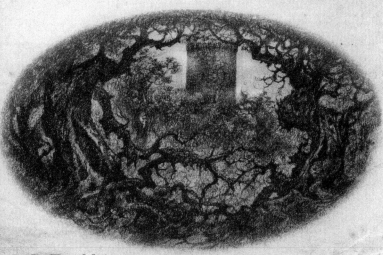

La Tour Malkin

Ils menèrent des batailles sanglantes contre les Malkin dans le Bois des Corbeaux, mais ne purent s'emparer de la tour. Ils se fixèrent donc au village de Roughlee. Les Deane sont les plus susceptibles de tous les clans. Le moindre grief les rend haineux et vindicatifs. Ils rêvent toujours de s'emparer de la Tour Malkin. S'ils sont d'origine celte, plusieurs siècles passés dans le Comté ont peu à peu modifié leurs traditions. À la suite d'alliances entre différentes familles, le clan a pris le nom de Deane et a cessé de vénérer la Morrigan.

Les Mouldheel, autrefois nomades, furent les derniers à gagner Pendle. Les sorcières du clan ne portaient pas de chaussures, et les autres ricanaient derrière leur dos, les surnommant « pieds puants ». Le clan s'établit au village de Bareleigh*.

Ces trois villages, à petite distance l'un de l'autre, délimitent une zone désignée sous le nom de Triangle du Diable. Il existe d'autres clans de moindre importance et beaucoup moins puissants. Citons les Hewitt,

---

* Le clan Mouldheel est actuellement dirigé par Mab. Bien que très jeune, elle est extrêmement puissante, et c'est une scruteuse de grand talent. Il faut s'en méfier : contre un épouvanteur, elle n'hésite pas à utiliser la fascination.
Tom Ward

les Ogden, les Nutter et les Preesall. De nouvelles sorcières, récemment arrivées, sont encore mal acceptées dans la région*.

Les conventus

Un conventus est formé de treize sorcières rassemblées pour pratiquer la magie noire, en particulier lors de célébrations comme la Chandeleur (le 2 février), la Nuit des Walpurgis (le 30 avril), Lammas – la fête des moissons – (le 1er août) et Halloween (le 31 octobre).

À ces dates, les conventus se réunissent à minuit. Attiré par l'adulation de ses adoratrices, le Malin se matérialise parfois brièvement. Les sorcières lui font alors allégeance et voient en retour leurs pouvoirs accrus[†].

* *La redoutable sorcière Wurmalde, venue de Grèce, réussit provisoirement à unifier les trois principaux clans de Pendle ; son but était d'introduire le Malin dans notre monde. Elle est morte, à présent, et les clans s'affrontent de nouveau. Nous devons veiller à ce qu'aucune autre étrangère ne réunisse les Malkin, les Deane et les Mouldheel.* John Gregory

[†] *Les apparitions précédentes du Malin duraient à peine une minute. À présent, il parcourt notre monde et menace de le plonger dans un nouvel âge de ténèbres.* John Gregory

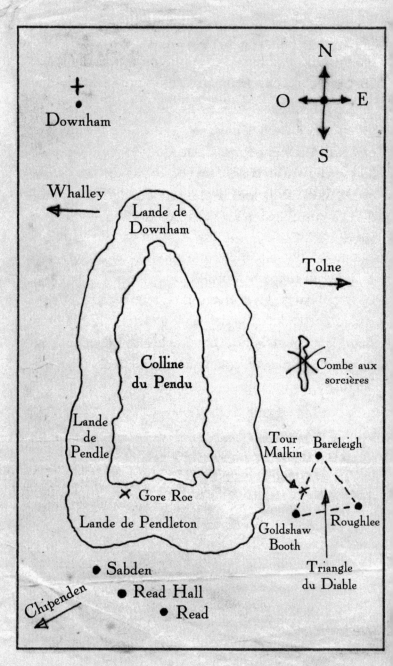

N

O ← ● → E

S

Downham

Whalley

Lande de Downham

Tolne

Colline du Pendu

Combe aux sorcières

Lande de Pendle

Tour Malkin

Bareleigh

Gore Roc

Goldshaw Booth

Roughlee

Lande de Pendleton

Triangle du Diable

Sabden

Read Hall

Read

Chipenden

Les tueuses

Chaque clan de Pendle (principalement les Malkin, les Deane et les Mouldheel) emploie au moins une tueuse, dont le rôle essentiel est de traquer et abattre ses ennemis. Celle qui veut lui succéder doit la vaincre au cours d'un combat à mort. La tueuse des Malkin est de loin la plus redoutable. Trois candidates à sa succession sont entraînées chaque année et l'affrontent l'une après l'autre.

La tueuse actuelle du clan Malkin est Grimalkin. Puissante, rapide, elle respecte son propre code de l'honneur et se refuse à toute tricherie. Elle apprécie les adversaires à sa mesure. Néanmoins, Grimalkin reste du côté de l'obscur. Elle est connue pour utiliser la torture.

Tous craignent le bruit sinistre de ses terribles ciseaux avec lesquels elle taille dans la chair et les os de ses ennemis. Elle grave leur image sur les arbres en guise

Grimalkin

d'avertissement, marquant ainsi son territoire. L'arme favorite de Grimalkin est une longue épée. Habile forgeronne, elle fabrique ses propres lames.

AUTRES CÉLÈBRES TUEUSES DU CLAN MALKIN

La tueuse précédente était Kernolde, surnommée *l'Étrangleuse*. En plus de ses lames, elle utilisait des cordes, des pièges et des fosses au fond hérissé de piques pour capturer ses ennemis. Après les avoir vaincues, elle pendait habituellement ses victimes par les pouces avant de les asphyxier lentement. Elle affrontait celles qui la défiaient dans la Combe aux Sorcières, au nord du Triangle du Diable. Elle se faisait aider par les sorcières mortes qui hantent ces lieux, en particulier *Gertrude la Hideuse*, trépassée depuis plus d'un siècle. Kernolde fut finalement vaincue par Grimalkin, qui la pendit par les pieds de sorte que les oiseaux puissent la dépecer, ne laissant que son squelette.

La tueuse connue sous le nom de *Needle* se servait d'une longue lance pour empaler ses victimes. Elle assistait alors à leur lente agonie. Après avoir perdu un œil à cause d'une fléchette empoisonnée, elle commença à décliner et fut finalement vaincue par Kernolde.

Dretch fut l'une des premières tueuses des Malkin, et le clan célèbre encore sa mémoire. Traqueuse à l'approche indétectable, elle crevait les yeux de ses ennemis avec ses ongles avant de leur déchirer sauvagement la gorge de ses dents. Une dizaine de Deane lui tendirent une embuscade pendant une Nuit des Walpurgis, où, traditionnellement, les clans respectent une trêve. Elle fut massacrée, non sans avoir opposé une résistance farouche : cinq de ses assaillantes y laissèrent la vie. Ce fut le début d'une guerre entre les Malkin et les Deane, qui dura un an.

Kernolde

Demdike est la seule tueuse à avoir été abattue par son propre clan, celui des Mouldheel. Elle s'était attiré de violentes inimitiés en désobéissant aux directives de la chef du clan et en lui jetant des injures à la face. Attaquée par surprise au cours du sabbat d'Halloween, elle fut lapidée, et son corps fut brûlé.

LES POUVOIRS DES SORCIÈRES

La magie animiste

Cette sorte de magie est également pratiquée par les mages connus sous le nom de chamans, mais ses plus puissantes praticiennes sont les sorcières roumaines. Elles se nourrissent de « l'anima », l'essence vitale. Ce n'est pas l'âme, mais l'énergie qui anime le corps et l'esprit des êtres. Les sorcières s'en emparent grâce à des incantations et par la force de leur volonté. Cela peut prendre de longues semaines, voire des mois. La peau du malheureux tombé en leur pouvoir devient grisâtre, elle se ride et se flétrit jusqu'à lui coller aux os telle une enveloppe parcheminée. Dans la dernière phase, il semble un mort qui marche. Il respire et son cœur bat faiblement, mais son regard est vide, il ne parle plus. À ce stade, la fin est proche.

Parfois – rarement –, lorsque sept ou huit sorcières mettent leurs forces en commun, la victime meurt presque aussitôt. Là encore, elles mêlent des incantations à l'exercice de leur volonté. Les sorcières roumaines ne mettent par écrit aucun de leurs sortilèges ; elles les apprennent par cœur et se les transmettent oralement de génération en génération.

La magie du sang

C'est la plus simple des magies. Toutes les sorcières l'utilisent à leurs débuts. Elles passent éventuellement au niveau supérieur avec la *magie des ossements* ou celle des *compagnons familiers*. Mais elles continuent de s'en servir à l'occasion.

Le sang joue un grand rôle dans les rituels, particulièrement à l'époque des quatre principaux sabbats (en février, avril, août et octobre). En absorber de grandes quantités – surtout celui des enfants – renforce l'efficacité de la magie noire. Il accroît les talents de scrutation et d'imprécation, ce dernier servant à attirer à distance la mort sur les ennemis.

La magie des ossements

Plus puissante que la magie du sang, elle se pratique souvent avec des os d'animaux, mais les os humains – en particulier ceux des pouces – sont les plus appréciés des sorcières. Les os de pouces du septième fils d'un septième fils ont une valeur inestimable*.

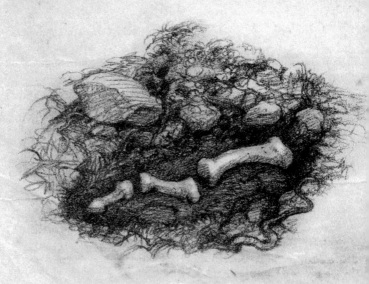

Quiconque traverse un « champ d'ossements », où l'atmosphère est saturée de magie, se sent étrangement alourdi, au point de ne plus pouvoir bouger, et finit par mourir de faim. Au centre, la pression est si forte que la victime est écrasée, les os brisés. Seuls les animaux très véloces, comme les lièvres ou les daims, réussissent à s'enfuir. Quand la créature prise au piège – homme ou bête – s'est décomposée, les sorcières viennent faire leur sinistre moisson.

Approcher le repaire d'une de ces sorcières exige la plus grande prudence. Quand on pénètre dans un champ d'ossements, on est pris de léthargie. Puis on

* La sorcière Lizzie l'Osseuse m'avait pris au piège et s'apprêtait à me couper les pouces. Elle aiguisait son couteau quand Alice réussit à me sortir de là. Tom Ward

éprouve une pénible sensation de pesanteur. Le plus important, alors, est de ne pas paniquer. Se mettre à tourner en rond est le meilleur moyen d'avertir la sorcière que sa proie tente de s'échapper. Il faut reculer avec une extrême lenteur, en respirant profondément. Une fois sorti du champ, prendre un autre chemin et rester vigilant : d'autres pièges peuvent vous attendre.

Les sorcières pratiquent également la magie des ossements pour s'emparer d'esprits errants autour des tombes, de fantômes hantant une scène de crime ou d'âmes perdues dans les Limbes*. Quand une sorcière a réussi à asservir l'un de ces êtres, elle l'utilise à ses propres fins, le plus souvent pour espionner ou terroriser ses ennemis.

Elles réduisent parfois les os en une fine poudre qu'elles mélangent avec du sang. Elles boivent alors ce breuvage dans un crâne humain. C'est un moyen pratique d'assimiler les ossements, auxquels s'ajoute la magie du sang, et de rendre ainsi leurs rituels plus puissants.

*Les Limbes – du latin *limbus* : marge, frange – sont le lieu que les âmes traversent avant d'entrer dans la lumière.
John Gregory

Les malédictions

Conjointement à la magie du sang et des ossements, les sorcières usent habituellement d'imprécations pour tuer leurs ennemis à distance*.

Dans une malédiction, chaque mot compte. Le texte peut être écrit sur du parchemin ou du papier, et envoyé à la victime désignée. Dans certains cas, il est rédigé sur de la peau.

Il y a quelques années, les trois clans de Pendle, les Malkin, les Deane et les Mouldheel, se sont rassemblés pour me lancer une malédiction. Le parchemin que j'ai reçu était constellé de taches de sang, certainement celui de victimes assassinées au cours du rituel de magie noire. Les chefs des trois clans l'avaient également signé avec du sang. Vous trouverez au verso ce texte qui, je dois l'avouer, m'a valu quelques nuits sans sommeil.

* Au temps où je travaillais avec Bill Arkwright, j'affrontai une sorcière celte, venue d'Irlande, qui avait utilisé une malédiction pour tuer un propriétaire terrien du Comté. Nous l'avions d'abord prise pour une banshie, car elle se comportait à la façon d'une de ces créatures immatérielles, la seule différence étant qu'elle apportait la mort au lieu de simplement l'annoncer. Tout en poussant ses cris, elle exécutait un curieux rituel : elle lavait un linceul et l'essorait, tordant en même temps le cœur de sa victime, qui finit par se rompre. Tom Ward

Par ces hululements, par le crapaud et la chauve-souris,
Par l'insecte véloce à la noire carapace,
Que ton âme soit maudite ! Ta vie, nous la prendrons !

Par la lune rouge sang et le ciel sans étoiles,
Par les ossements mêlés, par les cadavres et les soupirs,
Que ton âme soit maudite ! Ta vie, nous la prendrons !

Par le serpent sinueux et par le rat à longue queue,
Par la racine de mandragore et les chats familiers,
Que ton âme soit maudite ! Ta vie, nous la prendrons !

Par ces mots écrits avec un sang innocent,
Sois maudit au nom des trois conventus !
Tu mourras en un lieu obscur, au plus profond
des profondeurs,
Sans un ami à tes côtés.

Darcie Malkin

Claris Mouldheel

Jessie Deane

Bien des années se sont écoulées depuis, et la malédiction n'a toujours pas été suivie d'effets. Néanmoins, chaque fois que mon travail m'entraîne au cœur d'un souterrain, elle me revient à l'esprit, et je me tiens sur mes gardes.

La magie des élémentaux

À son premier niveau, ce type de magie est pratiqué soit par les sorcières novices en cours de formation, soit par celles qui ignorent leurs aptitudes et fréquentent les lieux isolés où elles se sentent en relation avec la nature. Ces dernières ont souvent l'impression d'être accompagnées d'une présence inconnue : c'est un élémental qui surgit, se nourrit et grandit à leur contact. Les sorcières débutantes, en se concentrant sur le résultat désiré, apprennent à utiliser les pouvoirs de l'élémental à des fins pernicieuses.

Ce genre de partenariat malfaisant entraîne rarement la mort de la victime désignée, mais lui vaut généralement des nuits de terreur, diverses maladies ou une infestation par des poux.

Utilisée par des praticiennes habiles et expérimentées, la magie des élémentaux est très puissante. Les élémentaux arrivés à leur plein développement, comme les *barghests* – sortes de monstrueux chiens noirs – et les *moroï*, font à la fois office de gardiens et de tueurs. Ces derniers sont une menace mortelle en Roumanie où, sous le contrôle de démons, ils s'emparent de l'esprit des ours et attaquent avec furie. En Roumanie, les attaques d'ours possédés par les moroï sont souvent mortelles.

La magie des compagnons familiers

Des trois sortes de magie pratiquées par les sorcières de Pendle, c'est la plus puissante.

Les sorcières soumettent une créature à leur volonté en lui offrant d'abord leur propre sang. Une fois le lien créé entre elles et l'être choisi, elles substituent à leur sang celui de leurs victimes. La créature devient une véritable extension d'elles-mêmes, comme si leurs yeux pouvaient voir, leurs oreilles entendre, leurs mains opérer à distance. Les possibilités offertes par cette redoutable magie sont infinies et varient selon la créature que la sorcière a choisie pour familier. Certaines en possèdent plusieurs, chacun servant des desseins différents. Un chat fera un excellent espion, à moins qu'il n'arrache les yeux d'un ennemi à coups de griffes ou n'étouffe un bébé endormi en se couchant sur son visage.

Les bêtes ailées aident la sorcière à localiser ses victimes. Les chauves-souris et les oiseaux nocturnes, tels les hiboux ou les chouettes effraies, sont les plus prisés*.

Les chats – surtout les noirs – sont des familiers fort répandus. La plupart des sorcières les choisissent pour leurs qualités de félins. Ils sont rapides et agiles autant que cruels : ils aiment jouer avec leur proie avant de la tuer.

* Lorsque j'affrontai Morwène sur le Mont aux Moines, la sorcière d'eau utilisa contre moi un étrange rapace : un vultrace. Grimalkin l'abattit avec une de ses lames de jet. Tom Ward

144

Les serpents, ces meurtriers silencieux, sont également appréciés. Les reptiles du Comté ne sont guère dangereux, mais, alliés avec une sorcière, ils développent leurs mâchoires et produisent un venin mortel, qu'ils ne possèdent pas naturellement.

Les crapauds font partie des moins puissants. Ils sont employés par des sorcières solitaires et très âgées, dont les pouvoirs s'amenuisent – et qui veulent se tenir simplement informées des derniers commérages – ou par celles dont la pratique des arts obscurs est limitée.

En revanche, ils sont les favoris des sorcières d'eau, car bien adaptés aux terrains marécageux. De plus, leur peau sécrète un poison virulent : son simple contact entraîne la mort.

Il existe enfin « les familiers de premier ordre », comme les démons, habituellement considérés comme trop dangereux pour servir de compagnons.

Seules les sorcières les plus puissantes tentent de les employer, et peu réussissent à se les attacher. C'est souvent la sorcière qui se retrouve asservie à celui qu'elle comptait contrôler*.

Miroirs et scrutation

Les sorcières de Pendle ont trois façons de combiner magie noire et usage des miroirs :

1. Pour communiquer à distance, soit par écrit, soit en lisant sur les lèvres, la plupart des sorcières étant habiles à la lecture labiale. Grâce à la magie noire, elles localisent d'autres miroirs, et le message apparaît à leur surface. Une sorcière bien entraînée sait même utiliser une flaque ou n'importe quel plan d'eau tranquille.

2. Cette technique leur sert aussi à espionner ennemis ou futures victimes. C'est pour s'en défendre que les habitants de Pendle retournent leurs miroirs contre le mur dès la tombée de la nuit.

*Alice Deane passa un pacte avec le Fléau, un esprit très puissant qui avait été un Ancien Dieu. En l'abreuvant de son propre sang, elle le soumit au point d'en faire presque son familier. Elle se mit en grand danger, mais la façon dont elle sut gérer la situation prouve l'étendue de ses pouvoirs. On ne doit en aucun cas laisser cette fille rejoindre l'obscur. John Gregory

3. Certaines sorcières se croient capables de lire l'avenir dans les miroirs. Avec le sang d'une victime, elles tracent des symboles magiques sur l'encadrement. Après quoi, elles entament des invocations, supposées produire des visions du futur. Ces soi-disant « scruteuses » se trompent le plus souvent. Pour ma part, je me refuse à croire que l'avenir soit fixé une fois pour toutes. Ce qui nous arrive dépend de notre volonté et de notre libre arbitre*.

La magie lunaire

Elle est généralement pratiquée par les bénévolentes. On les voit parfois danser, nues, à la pleine lune, pour renforcer le pouvoir de leurs herbes médicinales.

La lune est censée révéler la vérité des êtres et des choses, et réussit parfois à contrer les sorts de fausse apparence.

* À ma connaissance, Mab Mouldheel utilisa à deux reprises un miroir pour voir l'avenir. La première fois, elle prédit la prise de la Tour Malkin et l'approche des sorcières qui en voulaient à nos vies. La deuxième fois, en Grèce, elle me prévint de la mort prochaine d'Alice Deane si elle restait aux mains d'une lamia.
Tom Ward

Le flair

Grâce au *long-flair*, une sorcière est capable, en reniflant trois fois, de sentir l'approche d'un danger*. Si elle localise difficilement les septièmes fils d'un septième fils, nous devons néanmoins nous méfier de son *flair-bref* : utilisé de près, il lui permet de jauger nos forces et nos faiblesses. Plus elle s'approche, plus elle en apprend sur nous. Tenez toujours une sorcière à distance à l'aide d'un bâton en sorbier et, surtout, ne la laissez jamais vous souffler son haleine au visage !

Les sorts d'illusion

Connus sous les noms d'*horrification*, *séduction* et *fascination*, ces sorts permettent à une pernicieuse de transformer sa véritable apparence.

Avec *l'horrification*, elle terrifie un ennemi. Son visage se déforme et paraît monstrueux, sa chevelure ressemble à un nœud de serpents, et ses yeux brûlent tels des charbons ardents.

* Lizzie l'Osseuse était capable de flairer le danger à distance. C'est ainsi qu'elle échappa aux habitants de Chipenden venus brûler sa maison. Tom Ward

La *séduction* et la *fascination* vont de pair. La première fait paraître la sorcière bien plus jeune et bien plus belle qu'elle n'est ; la seconde soumet un homme à toutes ses volontés. Néanmoins, seules les sorcières les plus puissantes sont capables de maintenir de telles illusions à la lumière de la lune.

La magie empathique

Cette magie est habituellement employée pour tuer, estropier ou infliger de graves blessures à un ennemi. On modèle une figurine de cire ou de glaise à l'effigie de la personne désignée en y mêlant un peu

de son sang ou de son urine, des ingrédients censés rendre le sort plus efficace. À défaut, une mèche de cheveux ou un petit morceau de tissu pris à l'un de ses vêtements peuvent suffire.

La suite dépend de l'imagination et de la vindicte de la sorcière. Toute maltraitance infligée à la statuette sera ressentie comme telle par la victime. La sorcière a créé une « empathie » entre l'effigie et la personne vivante. Qu'un ongle s'enfonce dans n'importe quelle partie de la figurine, et son modèle ressent la blessure au même endroit. Si la sorcière vise le cœur ou la tête, la mort survient rapidement. Elle peut aussi mutiler son ennemi ou lui infliger une grave maladie en faisant fondre une partie de la figurine.

Une « bouteille de sorcière » sert de défense contre une ennemie utilisant déjà contre vous la magie noire. On mélange de l'urine, des cailloux pointus, des épingles et des clous dans un flacon. On bouche hermétiquement et on secoue. Puis on laisse reposer au soleil pendant trois jours. La nuit de la pleine lune, on enterre le flacon sous un tas de fumier. Dès lors, la sorcière ennemie urinera dans d'atroces douleurs. Sachant à quoi s'en tenir, elle n'a plus qu'à cesser ses attaques magiques. La « bouteille de sorcière » est alors détruite.

CONDUITE À TENIR FACE
AUX SORCIÈRES

L'usage de sel et de limaille de fer ne suffit pas à immobiliser les sorcières, au contraire des gobelins. Il existe néanmoins plusieurs techniques efficaces pour les entraver.

Des symboles gravés dans la pierre, comme celui dessiné ci-dessous, marquent la fosse où l'une de ces créatures est enfermée. La lettre grecque *sigma* barrée d'un trait oblique indique la présence d'une sorcière entravée. On ajoute éventuellement à quelle catégorie elle appartient (ici la lettre grecque *lambda* pour *lamia*), ainsi que son niveau de dangerosité (1 étant le plus élevé). Il est important d'écrire le nom complet de la sorcière sous le symbole afin qu'elle soit clairement identifiée. Pour terminer, le nom de l'épouvanteur qui a mené à bien l'affaire est écrit sous celui de la sorcière.

Étant femmes, les sorcières sont sournoises et se transforment au fil du temps. On peut consulter l'histoire de chacune d'elles dans ma bibliothèque de Chipenden.

Les sorcières mortes

Il arrive que des sorcières soient pendues, et leur corps rendu à la famille pour les funérailles.

Mais, pour ces créatures, la mort n'est pas une fin. Leur esprit reste enfermé dans la moelle de leurs os. Aussi, lorsqu'une sorcière est simplement enterrée, un beau soir, elle se fraie un chemin jusqu'à la surface et se met en quête de sang frais pour retrouver ses forces.

Toutes, cependant, n'ont pas la même énergie. L'une parcourra des miles en une seule nuit tandis que d'autres se traîneront sur quelques pas. Celles-là se contenteront de se dissimuler sous un tas de feuilles, en attendant que quelqu'un passe à leur portée*.

Vous trouverez ci-dessous les étapes les plus importantes pour procéder à l'entravement d'une sorcière morte.

* Certaines sorcières sont si puissantes qu'elles se libèrent et renaissent dans le monde des vivants. Mon maître appelle ce phénomène "la réincarnation". Bob Crosby, apprenti

1. Embaucher un maçon et un forgeron. Tous deux devront avoir l'expérience de ce genre de travail. Leur commander un couvercle fait de pierres et de barres de fer.

2. Creuser une fosse assez grande pour contenir le corps de la sorcière : elle devra mesurer six pieds de long et trois pieds de large sur neuf pieds de profondeur.

3. Introduire le corps dans la fosse la tête la première. La nuit venue, incapable de s'orienter, la sorcière morte se mettra à creuser le sol dans le mauvais sens.

4. Le maçon et le forgeron fermeront la fosse avec treize barres de fer scellées dans une bordure de pierre*.

*Par mesure d'économie, certains épouvanteurs obstruent la fosse avec un gros rocher au lieu de barres de fer. Ce ne peut être qu'une mesure temporaire, à n'utiliser qu'avec une sorcière relativement peu puissante.
John Gregory

Les sorcières vivantes

Pour capturer une pernicieuse, le meilleur outil est une chaîne d'argent. Le lancer de chaîne est une technique qui exige des heures et des heures de pratique. On commence avec une cible fixe ; mes apprentis s'exercent d'abord contre un poteau planté dans mon jardin. Puis on passe aux cibles mouvantes. Moi-même, je continue de m'entraîner régulièrement, afin de ne pas perdre la sûreté du geste. Les principes généraux sont les suivants :

1. Enrouler la chaîne autour de son poignet gauche.

2. La lancer avec un mouvement tournant, de sorte qu'elle se déploie en spirale dans le sens contraire des aiguilles d'une montre.

3. Veiller à ce qu'elle s'élève suffisamment dans les airs pour retomber bien en place et s'enrouler serrée autour de la sorcière avant que celle-ci ait le temps d'esquiver.

4. Il est important de calculer exactement ce qu'on appelle « l'amplitude ». Autrement dit, la chaîne doit ligoter la sorcière du sommet de la tête jusqu'aux genoux. Avec un bon entraînement, on fait en sorte que la chaîne se resserre sur ses dents pour la réduire au silence, sinon, elle tenterait de lancer une formule de magie noire.

La sorcière une fois capturée, que faire d'elle ? La brûler vive, aussi cruel que ce soit, la détruit pour toujours. Un autre procédé, barbare mais efficace, n'est guère pratiqué dans le Comté. Il consiste à tuer la sorcière et à lui manger le cœur. Certains épouvanteurs le jettent en pâture à leurs chiens*. Il reste une méthode sûre, celle que j'emploie : l'enfermer dans une fosse fermée par des barres de fer.

Voici la marche à suivre pour enfermer une sorcière vivante dans une fosse :

1. Embaucher un maître maçon et un forgeron, des hommes fiables et expérimentés. Ils devront avoir les nerfs solides, car leur tâche sera extrêmement dangereuse.

* Je fus envoyé chez Bill Arkwright pour me former pendant six mois. C'était un homme dur, qui me battait à l'occasion. L'une des choses les plus horribles dont je fus témoin fut la mise à mort d'une sorcière d'eau qu'il tenait prisonnière dans une fosse depuis deux ans. Elle criait encore quand il a jeté son cœur à ses chiens. Jack Farington, apprenti

Mère Malkin, une des plus redoutables sorcières du Comté, prit possession d'un charcutier. Je l'expulsai du corps du malheureux grâce à un mélange de sel et de fer, et elle fut dévorée par les cochons. Tom Ward

Quand la sorcière Wurmalde mourut, lâchée du haut des airs par une lamia ailée sur Gore Rock, à Pendle, l'épouvanteur m'apprit que la tueuse lui avait déjà arraché le cœur et l'avait mangé. Tom Ward

2. Creuser une fosse mesurant six pieds de long et trois pieds de large sur neuf pieds de profondeur.

3. Pour une créature particulièrement retorse, imprégner les parois de la fosse de sel et de limaille de fer. On n'en met pas sur le sol pour que la sorcière puisse survivre en se nourrissant de vers et d'insectes. Quand il s'agit d'une lamia sauvage ou d'une sorcière d'eau, faire fabriquer une cage de fer qu'on enfoncera dans la fosse, car ces deux types de sorcières sont capables de creuser.

4. Le moment critique est celui où l'on dépose la sorcière dans la fosse. La chaîne d'argent doit l'immobiliser jusqu'à la dernière seconde. La technique consiste à pousser la créature dans le trou tout en déroulant la chaîne simultanément. On n'acquiert le coup de main qu'avec la pratique.

5. Rester en sentinelle jusqu'à ce que le maçon et le forgeron aient scellé l'ouverture.

Cette méthode présente un sérieux inconvénient, bien que rare. Après avoir croupi dans une fosse pendant de longues années à se nourrir de limaces et de vers, la chair et les os imprégnés par l'humidité, une sorcière particulièrement puissante commence à changer. Elle devient une *verme*, un être lisse et flexible, capable de parcourir de longues distances et de se glisser par les fentes les plus étroites. Si elle pénètre dans un corps humain par le nez ou par l'oreille, la personne est possédée et soumise aux volontés de la créature.

Il existe deux moyens de détecter un cas de possession : une personne possédée depuis peu se met à tituber comme si elle était ivre. Elle peut même perdre l'équilibre.

D'autre part, sa personnalité se transforme. Quelqu'un d'habituellement calme et bienveillant peut se montrer soudain susceptible et hargneux*.

* J'ai rédigé dans ma jeunesse un ouvrage complet sur la possession. On le trouvera dans ma bibliothèque de Chipenden sous le titre : « Les damnés, les déséquilibrés, les désespérés ».
John Gregory

Un Kobalos

LES MAGES

Les mages sont les équivalents masculins des sorcières et peuvent être classés de la même façon : *les bénévolents, les faussement accusés, les pernicieux* et *les inconscients*. Ils sont cependant peu nombreux, l'usage de la magie noire étant plus naturel aux femmes. À l'exception des mages caprins (voir p. 165), ils travaillent seuls.

Les seuls mages non humains dont j'aie entendu parler sont les Kobalos, et leur existence demeure douteuse (voir p. 166). Néanmoins, si les renseignements que j'ai obtenus sont fiables, ils pourraient constituer une menace réelle : certains navigueraient actuellement vers la côte sud du Comté.

Comme les sorcières, quel que soit le type de magie qu'ils pratiquent, les mages possèdent des aptitudes différentes. Les moins dangereux ne sont guère que des illusionnistes parcourant les champs de foire pour soutirer un peu d'argent aux badauds crédules. Les plus puissants gouvernent parfois un royaume, bien qu'ils agissent généralement à l'ombre d'un trône.

Les mages ont un goût prononcé pour les formules interminables et alambiquées, qu'ils lisent à haute voix dans un grimoire. Ils utilisent le pentacle, un cercle entourant une étoile à cinq branches, à la pointe desquelles on pose une bougie de cire noire. Ces pentacles doivent être tracés avec une extrême précision, ainsi que les symboles magiques inscrits à l'intérieur. La vie du mage en dépend.

Le mage qui se tient au centre est à l'abri du démon ou de l'Ancien Dieu qui se matérialise à l'extérieur de cette figure protectrice. Le danger est alors que l'entité invoquée – tirée de l'obscur contre son gré – se venge sur les innocents vivant alentour. C'est parfois un acte prémédité, le mage attirant ainsi la violence sur ses ennemis.

Pour assurer sa sécurité, le mage peut également se tenir à l'extérieur du pentacle et obliger l'entité à apparaître en son centre, où elle reste enfermée jusqu'à ce qu'elle soit renvoyée.

CONDUITE À TENIR FACE AUX MAGES

Les techniques pour tuer ou entraver les mages vivants sont les mêmes que pour les sorcières. Toutefois, le sel et la limaille de fer sont sans effet sur eux.

Un pernicieux étant un serviteur de l'obscur, il est possible de l'immobiliser à l'aide d'une chaîne d'argent ou de le tuer avec une lame en alliage d'argent. Le bois de sorbier leur cause généralement de violentes douleurs, bien que certains y soient peu sensibles. Un épouvanteur possède un certain degré d'immunité contre leur magie, mais la lutte est souvent physique : lorsqu'ils se sentent menacés, la plupart des mages se montrent vite extrêmement violents.

Au contraire des sorcières, les pernicieux morts ne ressortent pas de leur tombe. Leur esprit traverse les Limbes pour rejoindre leur demeure véritable dans l'obscur. Certains mages jouissent d'une vie exceptionnellement longue. Ils dépensent dans ce but une grande part de leur magie, tandis que les pernicieuses acceptent de mourir, la vieillesse venue, sachant que leur existence se poursuivra au-delà de la tombe.

MERLIN

De tous les mages, Merlin est sans doute le plus célèbre. Il a soutenu le trône du roi Arthur, le grand guerrier celte. Merlin était né d'une humaine, mais son père, dit-on, était un démon. Il avait hérité de lui des pouvoirs magiques, en particulier celui de prendre l'apparence d'autres humains ou d'animaux.

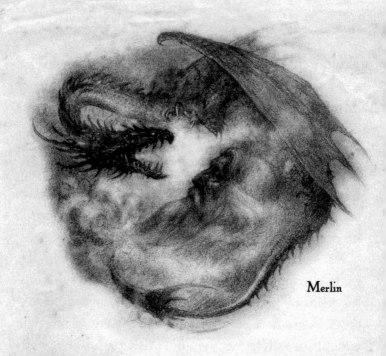

Merlin

Plus tard, il apprit à utiliser l'énergie d'un dragon, méthode des plus dangereuses. Il tomba alors amoureux de la sorcière Nimueh – parfois appelée Viviane ou la Dame du Lac –, qui lui soutira ses secrets, le vida de ses pouvoirs et les utilisa contre lui. Elle l'attira dans l'haleine d'un puissant dragon. Il sombra dans un profond sommeil et demeurera endormi jusqu'à la fin des temps.

Cela prouve une fois de plus combien il est dangereux de se fier à une femme, surtout si elle est sorcière. Certes, il existe de braves femmes. Mais, même lorsqu'on a affaire à une bénévolente, mieux vaut garder ses secrets pour soi. John Gregory

LES DIFFÉRENTS MAGES

Les mages caprins

Les mages caprins vivent en Irlande. Ils vénèrent Pan, auquel ils sacrifient régulièrement des boucs*, dans l'espoir d'amener, par leur culte et leurs offrandes sanglantes, l'Ancien Dieu à les investir de ses pouvoirs. Par chance, Pan est peu fiable, et, le plus souvent, le mage qui s'adresse à lui devient fou. Quand, à l'occasion, Pan récompense son adorateur, le pouvoir qu'il lui confère peut avoir des effets imprévisibles et dévastateurs. (La magie de Pan est liée à la folie.)

Les mages caprins se réunissent une fois par an pour une célébration particulièrement macabre et dangereuse. Un bouc enchaîné sur une haute plateforme est vénéré pendant une semaine et un jour.

*Ce type de magie est rarement pratiqué par les sorcières.
John Gregory

Des sacrifices humains sont offerts à la créature aux sabots fourchus, peu à peu possédée par Pan, le Dieu Cornu. Bientôt, le bouc est doué de parole. Il grandit, se dresse sur ses pattes de derrière et prend les commandes de la célébration en exigeant de plus en plus de sacrifices.

Le pouvoir obtenu après ces huit journées sanglantes profite aux mages pendant presque un an. Les années où Pan a refusé de se manifester, les mages sont obligés de fuir et se dispersent comme feuilles au vent. Ils sont alors totalement vulnérables et pourchassés par une fédération de propriétaires terriens du sud-ouest du pays. Les années fastes, en revanche, quand leur pouvoir est à son summum, ils répandent la terreur dans le pays. Ils circulent en toute liberté, pourchassent leurs ennemis, les massacrent, s'emparent de leurs terres et de leurs richesses. Les mages caprins et la fédération se livrent une guerre incessante.

Les mages des Kobalos

Les Kobalos sont une race de féroces guerriers qui, à l'exception de leurs mages, sont établis à Valkarky, une ville située à l'extrémité du cercle arctique. Son nom signifie « la Ville des Arbres Pétrifiés ». On y trouve quantité d'abominations, créées par la magie noire. Ses murs sont bâtis et restaurés par des créatures qui ne dorment jamais et qui crachent des pierres. Les

Kobalos croient que leur ville ne cessera jamais de s'étendre, jusqu'à ce qu'elle recouvre le monde entier.

Ces êtres ne sont pas humains. Bien qu'ils marchent sur deux pattes, ils évoquent plutôt les renards ou les loups. Leur corps est recouvert d'une fourrure noire, mais, selon leur tradition, leur face et leurs mains sont glabres. Leurs mages portent de longs manteaux noirs fendus à l'arrière pour laisser passer leur queue, qui peut faire fonction de membre additionnel. Ce sont des êtres solitaires, qui fuient leurs semblables et résident généralement sur leurs terres gelées, très loin au nord du continent appelé Europe. Chacun d'eux « exploite » une *haizda*, un territoire qu'il s'est approprié, où vivent plusieurs centaines

Des Kobalos

d'humains, dans des hameaux, des villages et des fermes. Il règne par la peur et les sortilèges, vole les âmes et engrange du pouvoir. Il habite généralement dans le tronc noueux d'un vieux ghanbala, un arbre typique de la région, dormant le jour et parcourant sa haizda la nuit, se nourrissant du sang des humains et des bêtes. Ces mages sont également de formidables combattants, dont l'arme favorite est le sabre.

Les nécromanciens

Tandis qu'une des tâches d'un épouvanteur consiste à apaiser les morts qui n'ont pas trouvé le repos et à les mettre sur le chemin de la lumière, un nécromancien fait l'inverse. Se basant le plus souvent sur un grimoire, un livre de sortilèges et de rituels, il soumet les morts pour qu'ils servent ses desseins et l'aident à se remplir les poches. Les gens en deuil sont prêts à lui payer de grosses sommes sur un argent durement gagné pour avoir une brève conversation avec un être aimé disparu, pour le revoir, même fugitivement.

Le nécromancien utilise aussi les morts pour espionner ou terroriser ses ennemis. Dans la plupart des cas, il se contente de prendre au piège de simples *âmes errantes* qui n'ont pas quitté les abords de leur tombe, ou des spectres incapables de trouver le repos à cause de quelque terrible crime qu'ils ont commis. À de rares occasions, de très puissants nécromanciens réussissent à capturer un mort dans les Limbes et à l'empêcher de rejoindre la lumière. Ils peuvent alors lui ordonner d'apparaître aux yeux des vivants. Le rituel se fait au moyen d'un pentacle tracé à la craie sur le sol. On pose une chandelle de cire noire* à chacune des pointes des cinq branches de l'étoile, qui doivent être d'égale longueur. Après incantation du sortilège approprié, tiré du grimoire, l'âme perdue apparaît dans le pentacle, où elle reste piégée jusqu'à ce que le nécromancien ait fini de réciter les formules qui l'asservissent à sa volonté[†]. Elle est alors renvoyée dans les Limbes, où elle errera sans jamais trouver le chemin de la lumière. Après quoi, le nécromancien n'a plus besoin du pentacle ; il fait surgir le fantôme à ses côtés sur simple injonction.

* Ces chandelles noires sont semblables à celles utilisées par les sorcières dans leurs rituels. Lizzie l'Osseuse en avait dans la maison d'où j'ai sauvé le petit Tommy. Depuis, j'en ai vu à de nombreuses reprises ; leur présence est toujours mauvais signe. On obtient leur couleur sinistre en mélangeant du sang humain avec la cire.
Tom Ward

[†] Un ancien apprenti de mon maître, Morgan, se détourna de la lumière et s'adonna à la nécromancie. Moyennant finances, il sommait les morts d'apparaître devant les familles endeuillées. Pire encore, il captura l'âme de mon père, qu'il tourmenta en lui faisant croire qu'il brûlait en enfer.
Tom Ward

LA PREMIÈRE TENTATIVE DE MORGAN
POUR FAIRE APPARAÎTRE GOLGOTH

Morgan, mon apprenti, avait un désir exacerbé de puissance. Il allait terminer sa troisième année de formation quand il fit une tentative qui aurait pu avoir des conséquences désastreuses pour les habitants du Comté et au-delà.

Il était grand et fort pour ses seize ans, et me donnait déjà de multiples causes d'inquiétude. En plus d'être paresseux, il se montrait rebelle et péremptoire. Les choses s'envenimèrent lors d'un séjour dans ma maison d'hiver, à Anglezarke.

Les Hurst, la famille qui avait élevé le garçon jusqu'à la veille de ses treize ans, vivaient non loin de là, et leur histoire était tragique. Morgan et leur fille Eveline étaient tombés amoureux. Même s'ils n'étaient pas du même sang, les parents les considéraient comme frère et sœur. Ils réagirent avec violence. Ils les battirent et leur rendirent la vie impossible. Eveline, désespérée, finit par se jeter dans le misérable étang d'eau grise qui jouxtait leur ferme.

Morgan était le septième fils d'un septième fils. J'avais été autrefois très proche de sa mère, Emily Burns. Aussi, pour lui rendre service, ainsi que pour aider Morgan et l'éloigner de cette tragédie — ses parents adoptifs le tenant pour responsable de la mort de leur fille —, je le pris comme apprenti. Ce fut l'une des plus grandes erreurs de ma vie.

Au cours de nos séjours d'hiver à Anglezarke, aussi bizarre que cela paraisse, Morgan se rapprocha des Hurst. Il leur rendait visite à la ferme de la Lande et y passait parfois la nuit. Je n'y vis pas d'objection, pensant que la présence du garçon leur apportait quelque consolation. Peut-être avaient-ils compris qu'ils étaient en partie responsables du suicide d'Eveline et cherchaient-ils à faire amende honorable.

Je me suis montré négligent, je m'en rends compte à présent. Morgan, qui se promenait souvent dans la morne lande, semblait obsédé par un ancien tumulus surnommé le Quignon de Pain. Celui-ci recouvrait, supposait-on, une salle secrète où l'on rendait jadis un culte à l'un des Anciens Dieux : Golgoth, le Seigneur de l'Hiver.

J'avais plus d'une fois surpris Morgan en train de creuser le tumulus. S'il n'a pas découvert la chambre secrète, il a mis la main sur quelque chose dont je n'avais pas soupçonné la présence à cet endroit. Morgan se préparait depuis des mois à tenter un acte insensé. En tant que maître, je n'ai pas vu venir le danger. En tant qu'épouvanteur, j'ai manqué à mes devoirs envers le Comté.

Une nuit d'hiver, je fus réveillé par des coups frappés contre la porte de ma maison d'Anglezarke. Sur le seuil se tenait M. Hurst, emmitouflé dans un manteau pour se protéger des flocons qui commençaient à tourbillonner. Le ciel noir était chargé de nuages.

– Entrez vite, vous allez geler sur place ! m'écriai-je en l'introduisant dans ma cuisine. Qu'est-ce qui vous amène, par une nuit pareille ?

Monter jusque chez moi depuis la ferme était pénible, en hiver. Mais, quand le blizzard menaçait, c'était folie. Même ceux qui connaissaient bien les environs pour les avoir parcourus toute leur vie pouvaient se perdre dans la neige et être retrouvés morts au matin.

– Il faut que vous veniez à la ferme tout de suite, me dit M. Hurst. Il est arrivé une chose terrible...

Il tremblait de tous ses membres. Je le fis asseoir près du feu, fis réchauffer le bouillon que j'avais préparé pour mon dîner et lui en tendis une tasse.

– Prenez votre temps, dis-je. Il y a peut-être urgence, mais je dois d'abord savoir exactement ce que je vais affronter.

Donc, tout en sirotant son bouillon brûlant, le vieil homme me conta son affaire :

– C'est ce cinglé de Morgan ! Il s'est enfermé dans sa chambre et il n'y fait rien de bon. Il se sert de magie noire, j'en suis sûr.

– La chambre où il dort ? demandai-je.

– Non, la pièce de devant, qui lui sert de bureau, où il écrit des tas de choses dans ses cahiers et où il lit.

– Il lit ? Qu'est-ce qu'il lit ?

Qu'il note ce que je lui apprenais dans ses cahiers était tout à fait normal. Mais je n'apportais que peu de livres de Chipenden tant la maison d'Anglezarke était humide.

Ceux-là, je les conservais dans la pièce la mieux chauffée, et ils n'étaient que rarement hors de ma vue. Mes livres sont mes biens les plus précieux, une réserve de connaissances que je crains toujours de perdre.

– Il y a quelques semaines, il est rentré à la maison avec un gros livre à couverture de cuir, et depuis il a toujours le nez dedans. Mais, ce soir, il s'est enfermé dans cette pièce. Avant ça, il y a transporté un sac. Puis il y a tiré le chien. Maintenant, il ne répond pas quand on frappe, et la pauvre bête ne cesse de gémir. Elle semble terrifiée. On entend aussi des bruits bizarres. Et le froid a envahi la maison, malgré toutes les bûches qu'on a mises au feu. Notre souffle se transforme en buée, et une pellicule de glace recouvre la porte derrière laquelle se tient Morgan.

À ces mots, je sautai sur mes pieds :

– Quel genre de bruits ?

Je venais de comprendre l'importance du danger.

– Des cloches n'arrêtent pas de sonner. Des grosses, comme des cloches d'église. Nos planchers vibrent à chaque coup. Et, de temps en temps, une sorte de sourd grincement monte de dessous la maison.

Convaincu qu'il y avait urgence, j'accompagnai aussitôt M. Hurst dans la nuit. Nous dévalâmes la pente raide qui menait à la plaine déjà enneigée. Des flocons blancs nous voltigeaient dans la figure, l'air glacé nous mordait la peau. Il nous fallut une bonne heure pour arriver à la ferme de la Lande. À peine le seuil franchi, je sus que le vieil homme n'avait pas exagéré. Le froid qui régnait dans la maison n'avait rien de naturel ; c'était ce froid étrange bien connu des épouvanteurs, annonçant la proximité d'un être de l'obscur.

En approchant de la pièce fermée, je perçus des sons inquiétants qui semblaient venir des tréfonds de la bâtisse : ça grinçait, crissait, râpait, comme si quelque énorme bête mastiquait des pierres. Nous fîmes halte tous les deux ; le plancher remuait sous nos pieds. Quand les bruits s'atténuèrent, je frappai fortement à la porte et appelai Morgan.

Il n'y eut pas de réponse. Sur le bois de la porte, des ruisselets de glace s'étaient formés. Soudain, le vacarme reprit, à croire qu'un monstre surgissait des profondeurs, projetant autour de lui des rochers et de la terre dans sa hâte d'échapper à sa prison souterraine.

Je tentai d'enfoncer la porte à coups d'épaule, mes forces redoublées par la nécessité. Enfin, les gonds cédèrent et le battant s'ouvrit. Je pénétrai dans un froid pire encore que celui qui régnait sur la lande.

Je connaissais déjà la pièce. Tout en longueur, elle avait une fenêtre au fond, dissimulée derrière de lourds rideaux noirs. La grande table et les deux chaises qui en occupaient habituellement le centre avaient été poussées contre un mur. Morgan était assis au milieu d'un énorme pentacle, tracé à la craie sur le sol. Aux cinq pointes de l'étoile brûlaient cinq chandelles noires. Leurs flammes vacillantes qui emplissaient la pièce d'une lueur jaune me permettaient de voir ce que j'allais affronter.

Dans sa main gauche, Morgan tenait un grimoire, un livre de magie noire. Un pentacle d'argent repoussé ornait sa couverture de cuir vert. D'où le garçon tenait-il cet ouvrage ? Je l'ignorais. Mais il psalmodiait des incantations en Ancien Langage, la langue des tout premiers habitants du Comté. Son accent était loin d'être parfait, mais assez correct

pour que les sortilèges agissent. Et je sentais qu'un être commençait à prendre forme à l'extérieur du pentacle, entre Morgan et les sombres rideaux qui cachaient la fenêtre.

Derrière moi, sur le seuil, j'entendis Mme Hurst pousser un cri d'effroi et son mari lâcher un grognement terrorisé. J'avais peur, moi aussi. Mais quelque chose de plus fort que le simple désir de me mettre à l'abri me donna le courage d'avancer. Ce que j'avais toujours craint était en train de se réaliser ; le Comté était à quelques secondes d'un désastre inimaginable.

Une autre créature se tenait dans la pièce : le chien de la ferme. Il était enchaîné à un anneau scellé dans le mur, près des rideaux. Aplati sur le sol, les oreilles collées au crâne, la pauvre bête gémissait doucement et tremblait de tout son corps. Le chien était le sacrifice de sang que Morgan offrait à Golgoth pour l'introduire dans notre monde. Il appelait la venue du Seigneur de l'Hiver, et il était sur le point de réussir.

Une vague de froid encore plus intense s'abattit sur moi ; je crus que des couteaux aiguisés me tailladaient le visage. Mon fou d'apprenti, abrité au centre du pentacle, s'apprêtait à faire apparaître l'Ancien Dieu.

Je me ruai vers lui et renversai une des chandelles, détruisant ainsi la protection magique. Les yeux de Morgan s'agrandirent de terreur quand il se sentit empoigné par les doigts glacés du froid. Mais la soif de pouvoir lui obscurcissait l'esprit. Et, bien qu'ayant sauté sur ses pieds, il poursuivit ses incantations.

Je pénétrai dans le pentacle et lui frappai le poignet d'un coup de bâton. Le grimoire lui échappa des mains. Il me lança un regard où se mêlaient la colère, la stupeur et l'effroi. L'espace d'un instant, il parut en transe, ne sachant plus qui il était ni ce qu'il faisait. Puis, le visage blême de terreur, il se tourna vers l'endroit où Golgoth commençait à se matérialiser.

L'étrange rugissement s'éleva de nouveau, le carrelage remua sous nos pieds. Quand le bruit atteignit son point culminant, le chien poussa un cri aigu, frissonna et s'écroula, mort, tué par la peur.

Peu à peu, le silence revint, le froid diminua, et l'épouvante qui m'avait serré le cœur relâcha son étreinte. J'avais arraché le grimoire aux mains de Morgan avant qu'il ait pu achever le rituel. Golgoth avait dû retourner dans l'obscur. Pour le moment, le Comté était sauvé.

Ce fut la fin de l'apprentissage de Morgan. Il m'était désormais impossible de le garder. Il ne me restait qu'à l'enfermer dans une fosse. N'était-ce pas le sort que je réservais aux sorcières ? Toutefois, sa mère me supplia de n'en rien faire, et je cédai. Après cela, Morgan se tourna définitivement vers l'obscur*.

* Morgan tenta une seconde fois de faire apparaître Golgoth. Il y réussit et y laissa la vie. Il connut une mort horrible, dont je fus témoin. Je n'oublierai jamais cette vision.
Tom Ward

Les chamans

Pratiquant la *magie animiste*, un chaman prend pour compagnon familier l'esprit d'un animal. Il lui prête un peu de sa force vitale et reçoit en retour conseils et protection. Le chaman est alors capable de projeter son esprit hors de son corps et de s'en éloigner en un clin d'œil. En plus de ses voyages en différents lieux de la Terre, il visite également les Limbes. Un célèbre chaman du nom de Lucius Grim s'aventura même à plusieurs reprises sur les territoires de l'obscur, où son âme fut finalement dévorée par un démon. Son corps continua de respirer pendant plusieurs années, mais ce n'était plus qu'une coquille vide.

Les chamans ne sont pas tous pernicieux. Soutenus par l'esprit de leur familier, certains se font guérisseurs ; d'autres s'efforcent de maîtriser les éléments, amenant par exemple la pluie en période de sécheresse.

Les grimoires

Ce sont des ouvrages très anciens, contenant des sortilèges et des rituels destinés à invoquer l'obscur. Ils sont surtout utilisés par les mages, même si les sorcières y ont parfois recours. Les formules qu'ils indiquent doivent être suivies à la lettre, sous peine d'entraîner la mort*.

Beaucoup de textes fameux ont été perdus (par exemple *Le Patrixa* et *La clé de Salomon*). Rédigés en Ancien Langage par les premiers habitants du Comté, ils ont d'abord été utilisés pour invoquer les démons. Ces livres recèlent une redoutable magie noire. La plupart ont été délibérément détruits ou mis hors de portée des regards humains.

Le plus mystérieux et – dit-on – le plus dangereux est le *Codex du destin*. Cet ouvrage aurait été dicté mot à mot par le Malin en personne à un mage du nom de Lukraste. Il ne contient qu'une unique incantation. Prononcée dans son intégralité (conjointement à la pratique de certains rituels), elle permettrait à un mage d'acquérir immortalité, invulnérabilité et pouvoirs divins.

Par chance aucun n'y a jamais réussi, tant cela exige d'endurance et de concentration : il faut treize heures pour lire la formule à haute voix, sans aucun instant de repos.

* John Gregory conserve un grimoire dans le bureau fermé à clé de sa maison d'Anglezarke. L'ayant vu une fois le consulter, je l'interrogeai sur son contenu. Il me conseilla de m'occuper de mes affaires.
Andy Cuerden, apprenti

Un mot mal prononcé, et le mage meurt. Lukraste fut le premier à commettre cette folie, et le premier à mourir. Quelques autres après lui ont connu le même sort funeste.

Souhaitons que le *Codex du destin* reste à jamais perdu !

Les sorcières de Pendle possèdent leurs propres grimoires, mais aucun ne contient le rituel pour invoquer le Malin. Elles le considèrent comme trop dangereux pour être mis par écrit : elles l'apprennent par cœur et se le transmettent de mère en fille*.

* D'après Alice, Lizzie l'Osseuse possédait trois grimoires. Ils ont été détruits dans l'incendie de sa maison, lors de l'attaque des villageois de Chipenden.
Tom Ward

Les ombres sur la colline du Pendu

LES MORTS
SANS REPOS

Une grande part du travail d'épouvanteur consiste à apaiser les morts qui n'ont pas trouvé le repos. En tant que septièmes fils de septième fils, nous avons le don de voir et d'entendre les défunts et de converser avec leurs esprits. Nous ne pouvons plus rien faire pour les *ombres* (voir p. 187). En revanche, nous obtenons un taux élevé de réussite avec les *fantômes* (voir p. 189).

Contrairement aux prêtres, qui tentent de les exorciser à l'aide d'une cloche, d'un livre et d'une chandelle, nous leur parlons comme à une personne vivante. Notre priorité est de comprendre la raison qui les retient sur Terre. La plus fréquente est qu'ils sont coupables d'un crime ou ont péri de mort violente. Beaucoup n'ont pas conscience d'être morts. La première étape est donc de les en convaincre. On les engage ensuite à se remémorer un moment heureux de leur vie. Se concentrer sur ce souvenir résout généralement leur problème : l'esprit apaisé, ils trouvent leur chemin à travers les brumes des Limbes jusqu'à la lumière.

Parler aux morts est un art ; le pratiquer exige une formation et un talent particuliers. Certains épouvanteurs savent mieux que d'autres entrer en empathie avec les fantômes, comprendre leur peine et leur désarroi*.

Malgré tous mes efforts, j'échouai moi aussi. Le défunt mari aurait pu partir vers la lumière, mais il refusait de s'en aller sans sa femme. En cette circonstance, mon talent et mon expérience se révélèrent inefficaces. John Gregory

Morwène, la sorcière d'eau, m'apprit que le Malin retenait Amelia, la mère de Bill Arkwright, sur le chemin de la lumière. Voilà pourquoi les efforts pour la délivrer n'avaient pas abouti. Je conclus alors un marché avec le Malin : si je me rendais seul dans les marais pour y affronter Morwène, il relâcherait l'âme d'Amelia. Désormais, elle et son mari sont en paix. Tom Ward

Présence de morts sans repos

Les symboles sont le plus souvent gravés près de l'endroit hanté par les esprits, dans le tronc d'un arbre ou le bois d'une porte. La lettre grecque *gamma* (voir ci-dessous) désigne indifféremment les fantômes ou les ombres. La nature de l'esprit errant est indiquée en haut à droite. Dans l'exemple qui suit, la lettre *epsilon* prévient qu'il s'agit d'un fantôme étrangleur.

Noter qu'on emploie également des chiffres, en bas à droite. De 1 à 5, il s'agit de fantômes ; de 6 à 10, ce sont des ombres. Dans cet exemple, l'étrangleur est de catégorie 3.

La lettre signalant un semi-humain est *sigma*. Ils ne sont pas classés en catégories, mais un chiffre de 1 à 10 leur est attribué.

Les subhumains

Ce sont des esprits d'origine humaine qui ont dégénéré et se sont éloignés de leur forme première au point de prendre une apparence bestiale ou hybride, mi-humaine, mi-animale. Cette mutation est due à un séjour prolongé dans les Limbes ou à quelque terrible crime commis sur Terre.

Bien qu'on persuade facilement un esprit de gagner la lumière en l'aidant à se remémorer un souvenir heureux, l'exercice se révèle beaucoup plus difficile avec les subhumains. Ils ne se rappellent que bien peu leur existence terrestre, et moins encore les périodes de bonheur. Un épouvanteur ne peut généralement rien faire pour ces infortunés, condamnés à subir leur triste condition jusqu'à la fin des temps.

Un subhumain

Toutefois, s'il se présente une occasion on réussit parfois à les délivrer*.

Les ombres

Les ombres sont les traces d'âmes qui n'ont pu partir vers la lumière qu'en laissant derrière elles leur part mauvaise. Elles se comportent de façon répétitive et compulsive, reprenant indéfiniment un acte accompli quand elles étaient en vie. Il s'agit parfois d'un meurtre ; occasionnellement, elles en sont la victime.

Dans le Comté, on trouve la plus importante concentration d'ombres sur la colline du Pendu, où, après une terrible bataille au cours de la guerre civile, des soldats furent exécutés par centaines. On les aperçoit parfois, pendus aux arbres, se débattant éternellement dans leur affreuse agonie.

Les ombres se nourrissent de la peur qu'elles inspirent et y puisent des forces. On les classe de 6 à 10. On signale rarement une ombre de catégorie 10,

* *Dans l'Ord, la citadelle de l'Ordinn, j'ai pu voir un grand nombre de subhumains. Ils avaient affreusement dégénéré à force de passer avec l'Ord de ce monde à l'obscur. Il m'aurait été impossible de les libérer par la méthode habituelle. Ils étaient trop loin de la lumière.*   *John Gregory*

Un groupe de subhumains

mais les plus puissantes peuvent rendre les gens fous de terreur. Elles tentent parfois de toucher les vivants de leurs doigts glacés et même de leur serrer la gorge ou la poitrine, au point de les empêcher de respirer.

Ma maison natale, à Horshaw, abrite dans sa cave l'ombre d'un mineur. Dès le début de leur apprentissage, j'envoie mes apprentis y passer une nuit afin de tester leur courage face aux manifestations de l'obscur. Je m'affronte moi-même à des ombres, de temps à autre, sans succès. Aucun épouvanteur n'ayant, jusqu'ici, trouvé le moyen de se débarrasser de telles entités, nous devons poursuivre nos recherches. Par chance, les ombres s'affaiblissent lentement au fil des siècles et finissent par disparaître complètement.

Les fantômes

Ce sont des esprits retenus sur Terre et incapables de passer de l'autre côté, soit qu'ils aient commis un meurtre hideux, soit qu'ils en aient été victimes.

Certains restent liés à la scène du crime, d'autres à leur propre tombe. Il arrive qu'ils aient un message à transmettre aux vivants. Ils errent alors pendant des années, attendant l'occasion de remplir leur mission.

Les catégories de fantômes vont de 1 à 5, les étrangleurs étant classés de 1 à 3. Un étrangleur de rang 1, bien que le cas soit exceptionnel, est extrêmement dangereux, capable d'étouffer ses victimes. Les fantômes choisissent d'apparaître ou de rester invisibles.

Il existe – ils sont rares – d'autres visiteurs de l'au-delà. Sans se matérialiser réellement, ils projettent parfois leur ombre. Un bruit évoquant un tissu qu'on lacère annonce leur apparition, comme si l'étoffe même de notre monde se déchirait pour les laisser passer. Cela peut s'accompagner d'une impression de chaleur. Je n'ai jamais assisté à ce genre de phénomène, mais d'autres épouvanteurs m'en ont fait le récit, et je suis convaincu de la réalité de telles rencontres. À mon avis, les entités de ce type viennent de la lumière ; elles sont puissantes, mais bienveillantes*.

* De retour de Grèce, à bord de La Céleste, j'ai eu une expérience semblable. Je crois qu'il s'agissait de maman, revenue fugitivement me dire au revoir et me faire savoir qu'elle allait bien.
Tom Ward

CONVERSATION AVEC UN ÉTRANGLEUR

Au cours de la troisième année qui suivit la mort de mon maître, Henry Horrocks, je fus appelé à Balderstone pour m'occuper d'un fantôme étrangleur. Un hameau comptant quarante-cinq habitants avait déploré trois morts en moins d'un an. J'eus l'occasion d'examiner le cadavre le plus récent, mais ne pus interroger son esprit, qui avait déjà gagné la lumière.

Les fantômes étrangleurs ne tuent que rarement. Si j'avais vraiment affaire à ce genre de créature, elle devait être d'une force exceptionnelle, car elle avait laissé la marque de ses doigts sur le cou de la victime. Je suspectais le coupable d'être en réalité humain. Les exemples ne manquent pas, dans le Comté, de meurtriers ayant tenté de rejeter sur des êtres surnaturels la responsabilité des crimes qu'ils avaient commis. En l'occurrence, les trois victimes avaient péri à la lisière ouest du hameau, non loin d'un vallon, et c'est là que je trouvai l'étrangleur.

La nuit était noire et sans lune, avec de lourds nuages bas et à peine un souffle de vent. Le fantôme m'apparut sous la forme d'une pâle colonne lumineuse venant vers le village entre les arbres. Pas de doute, il était en quête d'une nouvelle victime. Quand je l'interpellai, la lumière s'immobilisa avant de s'avancer vivement dans ma direction. Elle me prenait sans nul doute pour une proie facile. Comme tous les fantômes, les étrangleurs évitent les groupes et se manifestent plus volontiers devant un individu isolé.

Il s'arrêta face à moi, à une longueur de bâton. Il venait de comprendre que je n'étais pas homme à me laisser impressionner. Il s'élança cependant, et je sentis autour de mon cou le contact de ses doigts froids. Il tentait de m'étrangler. Mais le septième fils d'un septième fils jouit d'une certaine protection contre ce genre d'attaque ; il n'était pas assez fort pour me blesser sérieusement. Je tentai donc de parlementer.

— Qu'es-tu venu faire ici ? demandai-je. Qu'est-ce qui te lie à cet endroit ?

— J'aime ce sombre vallon, me répondit le fantôme. J'en ai tué beaucoup avant d'être arrêté. Trois femmes, un enfant et un vieillard. J'ai mis mes doigts autour de leur cou et j'ai serré, serré jusqu'à ce qu'ils ne bougent plus. J'ai fini par me faire prendre...

– On t'a pendu ?

– Non. On m'a frappé à coups de bottes jusqu'à
ce que tous mes os soient rompus, jusqu'à ce que mon
âme quitte mon corps pour échapper à la douleur. Et me
voilà de retour. Je ne peux m'éloigner de cet endroit. Tant
mieux. J'en ai eu trois, ces derniers mois. C'est bon de
resserrer mes doigts glacés autour de leurs cous chauds et
grassouillets !

– Tu dois t'en aller, à présent, lui dis-je. Chaque vie que
tu prends rend ton départ plus difficile. Va vers la lumière !
Va maintenant, tant que c'est encore possible !

– Quelle chance ai-je de jamais atteindre la lumière ?
objecta-t-il d'une voix mélancolique.

– Ce ne sera pas facile, mais tu peux y parvenir,
affirmai-je. Souviens-toi d'un moment où tu as été pleinement
heureux sur cette Terre !

Le silence retomba. Puis l'étrangleur reprit la parole :

– Je me rappelle un matin d'été. Je n'étais guère plus
haut que le genou de ma mère. Elle venait de me donner
une claque pour avoir fait quelque chose de mal – je
revois parfaitement cet instant – quand j'ai aperçu un grand
papillon voletant au-dessus d'une touffe de marguerites.
Ses ailes cramoisies scintillaient au soleil, et j'ai ressenti une
intense jalousie à l'idée qu'il soit si beau, alors que j'étais laid
et bancroche ; ma mère disait toujours que je n'aurais pas dû
naître. Cela me semblait trop injuste qu'il puisse voler ainsi
tandis que je ne savais que boitiller. Aussi, quand il s'est posé
sur une fleur, je l'ai attrapé d'un geste vif et je lui ai arraché
les ailes. Ça lui apprendrait ! Il n'était plus qu'un vilain petit

insecte obligé de ramper. Je ne m'étais jamais senti aussi heureux. Oui, je me souviens de ce matin. Il m'a appris comment je me ferais du bien en faisant du mal !

À ces mots, je compris qu'il n'y avait pas de salut possible pour cette créature. J'avais de la compassion pour ce misérable esprit, qui avait souffert d'une enfance douloureuse. Mais d'autres, affligés des mêmes maux, apprennent à dépasser leur malheur. Mon devoir était clair.

— Tourne-toi vers la lumière ! lui criai-je. Maintenant, tu devrais la voir.

— Je ne vois pas de lumière, rien que des volutes de brume grise...

— Pénètre dans cette brume, et tu la trouveras. La lumière est de l'autre côté. Va !

Quelques instants plus tard, la pâle apparition s'effaça. Or, je l'avais trompée. Je l'avais renvoyée dans les mornes brouillards des Limbes. Certes, la lumière s'étendait au-delà ; sur ce point, je n'avais pas menti. Mais ce fantôme était trop corrompu par le mal ; il n'avait aucune chance de l'atteindre. Sans doute errerait-il dans les Limbes pour l'éternité. C'était cruel, mais je devais avant tout protéger le Comté et ses habitants. Plus personne ne mourrait dans ce vallon entre les mains d'un étrangleur.

Voici la créature que j'ai aperçue au crépuscule,
à la lisière du Bois des Corbeaux.
Était-ce un démon ou un élémental ?
Je ne saurais le dire.
Je l'ai menacée de mon bâton,
et elle s'est enfoncée dans l'ombre à petits coups d'ailes.
Je ne l'ai pas revue.
Beaucoup d'entités inconnues errent dans le Comté.
Nous devons poursuivre nos observations ;
le travail d'un épouvanteur n'est jamais terminé.
John Gregory

Le Minotaure

LES DÉMONS

Les démons sont des esprits, au même titre que les gobelins, mais beaucoup plus puissants et d'une grande intelligence. Ils contrôlent parfaitement leur apparence, demeurent invisibles ou se montrent à leur gré. Leurs langages sont très élaborés. Certains d'entre eux aspirent à devenir des dieux semblables aux Anciens Dieux et cherchent sans cesse à augmenter leurs pouvoirs aux dépens de leurs victimes humaines. Les plus forts aiment qu'on leur rende un culte.

Les démons ne résident pas dans l'obscur. Ils sont liés à cette Terre et même à un lieu particulier dont ils ne peuvent guère s'éloigner*. Bien que moins redoutables que les Anciens Dieux, ils peuvent se montrer extrêmement dangereux.

* Seuls les démons passant régulièrement de l'obscur à ce monde par le portail de feu qu'utilise l'Ordinn font exception à la règle. C'est le pouvoir de cette déesse qui rend la chose possible. John Gregory

Les bugganes

Le buggane est un démon qui hante les ruines. Il se matérialise de préférence sous l'apparence d'un taureau noir ou d'un humanoïde velu, bien qu'il puisse choisir d'autres formes en fonction de ses besoins. Sur les terrains marécageux, on a vu des bugganes se transformer en vers (voir le chapitre « Les créatures aquatiques », p. 209).

Le buggane émet deux sortes de sons. Soit il mugit tel un taureau furieux pour chasser les intrus de son domaine, soit il chuchote sinistrement à

Un buggane

l'oreille de ses victimes. Il apprend aux affligés qu'il est en train d'aspirer leurs forces vitales, et leur terreur l'emplit d'énergie.

Se boucher les oreilles est inutile, la voix du buggane résonne à l'intérieur de la tête. Des sourds ont été victimes de ces sons insidieux. Ceux qui entendent ces chuchotements meurent en quelques jours, sauf s'ils réussissent à tuer le buggane qui les tourmente. Celui-ci stocke les *animae* (voir « La magie animiste », p. 134) des personnes qu'il a tuées dans son profond labyrinthe souterrain.

Les bugganes sont insensibles au sel et à la limaille de fer, ce qui les rend difficiles à tuer et à entraver. Seule une lame faite d'un alliage d'argent peut en venir à bout si on la lui enfonce dans le cœur quand il est pleinement matérialisé.

Un buggane devient encore plus puissant s'il s'allie à une sorcière ou à un mage. En échange de sacrifices humains, il détruit leurs ennemis.

On en trouve surtout sur l'île de Mona, au nord-ouest du Comté, où l'un des plus redoutables spécimens hante les ruines d'une chapelle au pied du mont Greeba. Comme certains gobelins, les bugganes acceptent parfois de changer de gîte en échange d'une chose qu'ils désirent puissamment.

Harpies

Les harpies

Ce sont des créatures femelles, ailées, qui fondent sur leurs proies à la vitesse d'une pierre tombant du ciel. Le seul indice prévenant de leur attaque est la puanteur qui environne la victime choisie, quelle que soit la direction du vent.

Envoyées de Zeus, premier souverain des Anciens Dieux, les harpies chassent ceux qui lui ont déplu et les déchirent de leurs griffes acérées. Les corps de ceux qu'elles ont massacrés, contaminés par leur contact, empoisonnent les terres alentour. Les plantes et les bêtes meurent, et plus rien ne pousse en ces lieux pendant plusieurs dizaines d'années.

Bien que ces observations soient tirées des écrits des premiers épouvanteurs grecs, il me semble peu probable que les harpies aient existé. La vision de lamias ailées a probablement donné naissance à cette légende. En l'absence de preuve incontestable, mieux vaut se montrer sceptique. Il faut noter également que Zeus ne règne plus sur les Anciens Dieux. Son pouvoir a décliné en même temps que son culte se raréfiait.

Les kelpies

Ces démons particulièrement pernicieux, hôtes des rivières et des lacs, sont friands de chair humaine. Capables de changer d'apparence, ils prennent

Un kelpie

souvent celle d'un cheval noir. Ils laissent alors un cavalier monter sur leur dos avant de l'entraîner dans l'eau au grand galop pour le noyer. S'ils sont particulièrement affamés, ils lui tranchent les pieds d'un coup de dents.

Le kelpie aime les éléments déchaînés et se manifeste souvent pendant les orages. Sous l'aspect d'un homme très velu, il jaillit hors de l'eau, étouffe sa proie entre ses bras puissants et lui brise les os.

Qu'il prenne une forme humaine ou chevaline, il a des dents recourbées vers l'arrière. S'il a mordu dans votre chair, il est presque impossible de le forcer à rouvrir les mâchoires. Un kelpie peut être entravé avec une chaîne d'argent, bien que sa vivacité rende la tâche ardue. Comme tous les démons, il est vulnérable à une lame en alliage d'argent.

Les selkies

Ces démons marins apparaissent sous forme de phoques. Ce sont des créatures bénévolentes qui peuvent vivre sur terre en prenant l'apparence de très belles femmes. Il arrive qu'une selkie passe de nombreuses années auprès d'un homme sans que celui-ci suspecte sa vraie nature. Elles aiment la musique, surtout les chants tristes. Solitaires la plupart du temps, elles apprécient la compagnie des humains. Mais elles ne vieillissent que très lentement, et, si l'une d'elles partage la vie d'un homme, sa jeunesse peut attirer l'attention des voisins, en particulier celle des femmes jalouses. Bien qu'elles soient inoffensives, leur présence rend les gens nerveux, car il s'agit tout de même d'un type de démon. Un épouvanteur est parfois requis pour régler le problème.

Le meilleur moyen de chasser une selkie est de lancer à ses trousses des chiens prêts à la déchiqueter. Si elle réussit à rejoindre la mer, elle reprend son aspect de phoque*.

* J'ai aidé un jour Bill Arkwright
à chasser une selkie, au nord du Comté.
Son pauvre chien l'a poursuivie
dans l'eau. Elle l'a attrapé et l'a noyé,
puis elle s'est échappée.
Graham Cain, apprenti

Alors que je travaillais avec Bill Arkwright,
je fus témoin d'une chasse à la selkie.
La créature coulait des jours heureux avec un pêcheur,
et il me parut cruel et injuste de la renvoyer
dans la mer, laissant le pauvre homme, désespéré,
à sa solitude. Il y a des tâches qu'un épouvanteur
ne devrait pas avoir à accomplir.
Tom Ward

Les strigoï

Les strigoï et les strigoïca (les femelles) sont des démons vampires de Roumanie, qui hantent principalement la province de Transylvanie. Souvent latents pendant des années sous forme d'esprits, ils finissent parfois par prendre possession d'un être vivant. Quand leur hôte meurt, ils en choisissent un autre. Certains préfèrent occuper un cadavre fraîchement enterré, rendant ainsi au mort une apparence de vie.

Ils pénètrent dans le corps d'un être vivant par une blessure ou une coupure. Les Roumains sont prêts à endurer la douleur d'une cautérisation au fer rouge pour éviter un tel sort. Les morts, bien sûr, sont sans défense ; les démons prennent alors le même chemin que les vers pour envahir leur dépouille.

Strigoï et strigoïca travaillent souvent en couple. L'un d'eux prend possession d'un hôte vivant et protège l'autre pendant les heures diurnes. Beaucoup habitent de grandes demeures isolées, où ils accumulent les richesses prises à leurs hôtes précédents.

Dès qu'ils ont pris forme humaine – à partir d'un vivant ou d'un mort –, ils se nourrissent de sang. Ils peuvent aussi manger de la viande crue, le cœur et le foie étant leurs mets favoris.

Les épouvanteurs roumains ont pour habitude de déterrer les morts un an après leurs funérailles. Si la décomposition est en cours, c'est que le défunt n'est pas possédé. En revanche, un visage encore rose et des lèvres gonflées révèlent la présence d'un démon vampire. Il faut alors couper la tête du cadavre et la brûler.

Il existe de multiples façons de détruire strigoï et strigoïca, dans le corps d'un vivant ou d'un mort : le décapiter, lui enfoncer un pieu dans l'œil gauche ou le brûler. L'ail, les roses et – comme pour les sorcières d'eau – un fossé empli d'eau salée tiennent ces créatures à distance. Seul un démon habitant un cadavre peut être détruit par le soleil.

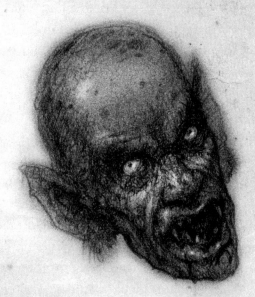

Un strigoï

Les minotaures

Les minotaures parcouraient jadis les îles du sud de la Grèce, en particulier la Crète. Ces créatures carnivores, au corps d'homme musculeux et à la tête cornue de taureau, terrorisaient les villages isolés. La population avait recours à des sacrifices humains pour les apaiser. Leur épouvantable mugissement pétrifiait leurs victimes.

Une légende raconte qu'un roi, qui avait fait construire un labyrinthe complexe, plaça en son centre un féroce minotaure. Le souverain y envoyait ceux qui avaient le malheur de lui déplaire ; aucun n'en ressortait vivant. Un héros grec du nom de Thésée tua, dit-on, le terrible démon. Il résolut le problème du labyrinthe en utilisant une pelote de fil que lui avait donnée Ariane, la fille du roi, et dont il avait noué l'extrémité à un poteau de l'entrée. Il progressa ensuite en déroulant la pelote. Après avoir tué le minotaure, il n'eut qu'à rembobiner le fil pour retrouver son chemin.

Aucune apparition de minotaure n'ayant été signalée depuis deux siècles, l'espèce est supposée éteinte.

Les cyclopes

Ces géants carnivores dotés d'un œil unique se nourrissent de moutons et autres pièces de bétail, les chèvres des montagnes ayant leur préférence. Ils peuplent les récits des anciens historiens et conteurs grecs. On n'en trouve plus en Grèce, mais, selon certains témoignages, ils auraient migré vers le nord ; ils auraient été vus en Roumanie. Selon moi, l'expression « géants » est quelque peu exagérée. Certes, il existe des humains et d'autres créatures qui dépassent la taille ordinaire. Mais l'esprit humain a un don stupéfiant pour embellir et amplifier la réalité.

Un cyclope

Un skelt

LES CRÉATURES
AQUATIQUES

On trouve des monstres d'eau à travers tout le monde connu, dans les mers, les lacs, les rivières, les marécages, les étangs et les canaux. Dans le Comté, ils posent de gros problèmes au nord de Caster. Je garde l'espoir de former un jour un apprenti qui se spécialisera dans la lutte contre ces créatures*.

Les scyllas

Ces créatures particulièrement féroces vivent dans les rivières et les lacs de Grèce. Leur taille varie, mais chacune possède sept têtes, deux queues et cinq pattes. Couvertes d'écailles vertes, elles se cachent entre les herbes aquatiques, d'où elles jaillissent à une vitesse surprenante pour saisir leur proie : un pêcheur ou quelque infortuné voyageur.

---

* J'ai finalement eu un apprenti originaire de cette région, qui a souhaité y retourner une fois sa formation terminée. Il s'appelle Bill Arkwright.
John Gregory

Le premier scylla aurait été un fils de la première lamia : il a hérité de l'appétit vorace de sa mère, qu'il a transmis à ses descendants.

Les skelts*

Ils ressemblent à d'énormes insectes, avec de longues pattes multiples. En dépit de leur taille, ils peuvent se replier dans des espaces exigus. Leur corps articulé, incrusté de coquillages, évoque celui d'un crustacé. Ils habitent des grottes à proximité de l'eau, d'où ils sortent pour se nourrir du sang chaud des mammifères. Leur museau plat est dépourvu de dents ; leur appendice le plus remarquable est un long tube d'os mince et dur qu'ils introduisent dans la chair de leur proie pour aspirer son sang.

* Il est rare de rencontrer un skelt. J'espère bien en voir un, un jour !
Bill Arkwright

Le vœu de Bill Arkwright a été exaucé ! L'un d'eux était pris au piège dans un trou d'eau, sous son moulin. Quand il a pu s'échapper, il m'a attaqué et a commencé à aspirer mon sang. Bill m'a sauvé : il l'a tué avec une grosse pierre.
Au temps où Bill était prisonnier des sorciè d'eau, elles utilisaient un skelt pour le vider de son sang. Après sa mort, elles auraient sacrifié la créature.   Tom Ward

Le skelt est très apprécié des sorcières d'eau, qui l'utilisent dans leurs rituels. Elles le laissent boire le sang d'une victime sacrificielle pendant une certaine période. Après la mort de cette dernière, elles démembrent le skelt vivant et le dévorent tout cru. Cela triple la puissance de leur magie.

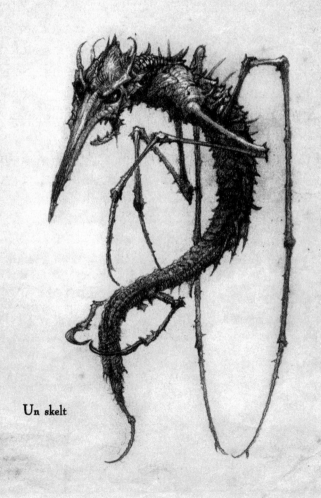

Un skelt

Une sorcière d'eau dévorant un skelt

Les sirènes

Ces créatures femelles jouent de leurs voix enchanteresses pour attirer les marins. Dans leur hâte à rejoindre ces merveilleuses chanteuses, les hommes plongent dans la mer, où ils se noient, ou laissent leur bateau se briser sur les écueils*. On dit que les sirènes se nourrissent de la chair des noyés.

*Au large des côtes de Grèce, notre navire, La Céleste, est tombé sous le charme des sirènes, qui nous guettaient sur une avancée de rocs déchiquetés. Grâce au pouvoir de leur chant, ces créatures apparaissent comme des femmes d'une grande beauté, alors qu'elles sont en réalité hideuses, avec d'énormes crocs sous des lèvres gonflées.
En tant qu'épouvanteurs, Tom Ward et moi étions immunisés contre leurs charmes. Mais il nous fallut boucher les oreilles du capitaine pour qu'il nous éloigne du danger.
John Gregory

Une sirène

Un antrige

Les antriges

Un antrige est une créature créée par les sorcières grâce à la magie noire et utilisée comme gardien aquatique de quelque lieu secret. Les sorcières emprisonnent l'âme d'un marin mort noyé dans son cadavre, qui alors ne se décompose pas, mais gonfle et acquiert une force surhumaine. Bien qu'aveugle, ses yeux ayant été mangés par les poissons, l'antrige a l'ouïe très fine et repère l'approche d'une proie même en restant sous l'eau. La victime est totalement inconsciente de la proximité de la créature. L'attaque, quand elle survient, est fulgurante. L'antrige saisit sa proie et l'entraîne en eau profonde, où elle la noie tout en la démembrant lentement.

Les antriges, comme les sorcières qui les ont créés, craignent les bâtons en bois de sorbier. On peut aussi les tirer hors de l'eau en utilisant une chaîne d'argent et les achever avec du sel et de la limaille de fer.

Les vers

La taille de ces monstres redoutables varie de celle d'un gros chien à celle d'une maison. Certains ont des pattes, la plupart ont des queues, tous sont vicieux

et irritables. Leur long corps d'anguille sinueux protégé par de dures écailles vertes est très difficile à percer avec une lame. Leur mâchoire est hérissée de crocs capables de vous trancher la tête ou un membre en un clin d'œil.

Lorsqu'ils rampent sur le sol, ils crachent un venin violent, aussitôt absorbé par la peau de la victime, qui meurt rapidement. Certains vers sont dotés d'ailes courtaudes. Comme de la vapeur s'échappe souvent de leur gueule, on les prend parfois pour des dragons.

Ce sont des êtres aquatiques et, s'ils préfèrent les eaux profondes, ils se contentent à l'occasion d'un marécage ou d'une rivière. Bien qu'ils soient rares

dans le Comté, on en rencontre dans les lacs du Nord et jusqu'à Caster.

Lorsqu'ils capturent un humain, ils l'étouffent avant de le manger, os compris, sans laisser presque aucune trace de leur victime. Ils avalent même parfois vêtements et chaussures. S'ils s'attaquent au bétail, ils vident simplement les animaux de leur sang.

Pour venir à bout d'un ver, il est fortement recommandé de l'attaquer à deux*.

* J'ai aidé une fois Bill Arkwright à combattre un ver. Je devais attirer l'attention de la bête pendant qu'il la frappait de son bâton. Il l'a ensuite achevée avec son couteau. Bill m'a également montré comment distraire le monstre avec la flamme d'une chandelle.   Tom Ward

Un dragon

LES ÉLÉMENTAUX

Comme leur nom l'indique, ces entités sont des esprits nés de la terre, de l'eau, de l'air ou du feu, mais ils n'acquièrent que très lentement un certain niveau de conscience. Aux premiers temps de leur croissance, les sorcières débutantes se servent d'eux pour exercer leur pouvoir. Plus les esprits se développent, plus ils gagnent en lucidité. Dès qu'ils ont agi en connexion avec une pernicieuse au sommet de son art, ils parviennent à leur état définitif.

Bien que la preuve n'en ait pas été faite, la théorie la plus plausible est que les élémentaux se transforment d'abord en démons, puis en dieux. Les Anciens Dieux seraient le résultat d'une longue et lente évolution, qui aurait atteint son apogée grâce aux cultes rendus par les humains*.

*Un exemple récent vient conforter cette hypothèse : le Fléau fut jadis un Ancien Dieu, vénéré par le Petit Peuple. Au temps où il fut malencontreusement libéré des catacombes, sous la cathédrale de Priestown, où il n'avait que peu de contacts avec des humains, ses caractéristiques étaient celles d'un démon. Peu à peu, son pouvoir s'est accru. Je suis convaincu qu'il aurait finalement employé la terreur pour obliger des populations entières à le servir, et il serait redevenu un dieu. Mon apprenti, Tom Ward, le détruisit juste à temps.   John Gregory

Les barghests

Ce sont des esprits terrestres qui prennent l'aspect d'énormes chiens noirs aux yeux flamboyants et aux crocs impressionnants. Généralement confinés dans un certain espace, ils tirent leur force de la peur qu'ils inspirent, à la manière des ombres et des gobelins. Certaines sorcières en font les gardiens de leur demeure ou des lieux où s'assemblent les conventus. Un épouvanteur en vient aisément à bout avec du sel et de la limaille de fer. Leur apparition peut néanmoins provoquer la folie ou un arrêt cardiaque chez les personnes fragiles.

Un barghest

Les boogles

Ces esprits terrestres hantent les grottes et les galeries souterraines. La plupart sont inoffensifs, mais leur présence rend les mineurs nerveux. Ils se manifestent sous la forme d'ombres grotesques qui se déplacent avec une extrême lenteur. Ils émettent parfois des soupirs ou des murmures. (Les taraudeurs sont beaucoup plus dangereux. Voir p. 226.)

Les dragons

Une erreur largement répandue décrit ces créatures comme des cracheurs de feu ailés aux pattes griffues. Les vrais dragons sont tout à fait autres : ce sont des élémentaux de l'air. Certains sont si gigantesques qu'ils s'enroulent autour d'une colline, l'enveloppant du sommet à la base. Ils dorment ainsi pendant des siècles, invisibles, si bien que peu de gens ont conscience de leur présence.

Les plus sensibles, pris de frissons par une chaude journée d'été, croient simplement avoir attrapé un rhume. Les gros dragons sont des êtres amorphes ; ils ne remuent qu'à peine, et avec une grande lenteur, leur perception du temps n'étant pas la même que la nôtre : une journée ne représente qu'une seconde pour eux. C'est pourquoi ils n'ont guère conscience de la présence de ces minuscules insectes que sont les humains. Jadis, les épouvanteurs communiquaient avec ces créatures ; malheureusement, ce savoir s'est perdu.

Il arrive qu'un mage cherche à utiliser l'énergie d'un dragon, avec des résultats mitigés. Ce genre de tentative est des plus risquées. Le mage se trouve parfois piégé dans l'aura de la créature ; il tombe alors dans un profond sommeil, dont il ne se réveillera jamais. L'exemple le plus célèbre est celui de Merlin (voir le chapitre « Les mages », p. 163), qui dort, dit-on, dans l'antre d'un dragon et y dormira jusqu'à la fin des temps.

Les élémentaux ardents

Le Comté ne connaît pas ces esprits du feu, à cause de son climat humide et des vents marins*.

* S'il est vrai que nos conditions climatiques nous protègent, nous ne devons pas sous-estimer pour autant le danger que représente le surgissement récent, en Grèce, de tels élémentaux à travers le portail de l'Ord. Lorsqu'elles se sont introduites dans notre monde, les créatures de l'obscur ont besoin d'un certain temps pour atteindre leur pleine puissance.
John Gregory

Dans les pays secs, en revanche, ils représentent un vrai danger, sous la forme de globes rougeoyants, parfois translucides, parfois opaques. À midi, on les trouve sur les rochers, où ils se chargent de chaleur et de pouvoir. Ils fréquentent également les ruines ou les bâtiments abandonnés.

En règle générale, les opaques sont plus brûlants que les translucides. Dans les lieux fermés, ils flottent souvent sous le plafond. Mais ils se déplacent à une vitesse qui les rend presque impossibles à esquiver. Leur simple contact inflige des brûlures sévères, presque toujours mortelles. Dans les cas extrêmes, la victime est instantanément réduite en cendres.

D'autres élémentaux ardents appelés *asters* évoquent des étoiles de mer, avec leurs cinq bras de feu. Ils s'accrochent à la surface des murs ou des plafonds, d'où ils se laissent tomber sur la tête de leurs victimes.

Une salamandre

223

Les plus redoutables sont les salamandres, sortes de grands lézards qui se prélassent dans les fournaises les plus intenses. Elles crachent des traits de feu ou des jets de vapeur brûlante.

Il n'existe guère de défense contre les élémentaux ardents, bien qu'une lame contenant de l'argent dans une juste proportion réussisse parfois à les faire imploser. Un bâton d'épouvanteur à lame rétractable est donc une arme utile*. Si cela ne suffit pas, l'eau affaiblit sérieusement un élémental ardent, l'obligeant à hiberner jusqu'au retour de conditions plus favorables[†]. En cas d'attaque, on peut également trouver refuge dans l'eau.

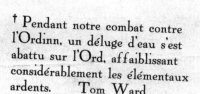

*Lors de notre mission en Grèce, je tranchai un aster en deux avec la lame de mon bâton. Ce ne fut pas sa fin pour autant. Il commença à se reformer, et nous dûmes quitter les lieux au plus vite. John Gregory

[†] Pendant notre combat contre l'Ordinn, un déluge d'eau s'est abattu sur l'Ord, affaiblissant considérablement les élémentaux ardents. Tom Ward

Les moroï

Ces esprits vampires résident en Roumanie, parfois sous le contrôle de strigoï et de strigoïca. Mais, même lorsqu'ils agissent seuls, ils représentent une menace importante pour les voyageurs. Sous leur forme désincarnée, ils hantent les arbres creux et les bosquets de houx. Le soleil les détruit, et ils ne sortent qu'après la tombée de la nuit.

Le point faible des moroï est leur comportement obsessionnel : ils s'attardent près de leur antre, à compter les baies, les graines, les brindilles et même les brins d'herbe. Ils gaspillent ainsi le temps qu'ils utiliseraient autrement à chasser leurs proies. Quand ils ont fini leurs calculs, l'aube est proche. C'est l'heure la plus dangereuse pour les humains

imprudents, car ces créatures ont un besoin irrépressible de boire du sang avant le lever du soleil. Ce besoin est mis à profit par les épouvanteurs roumains, qui emplissent leurs poches de baies et de graines. Menacés par un moroï, ils les lui lancent. Au lieu d'attaquer, la créature se met alors à compter.

Les taraudeurs

Lointains parents des gobelins qui infestent le Comté, ils résident dans les crevasses profondes de la roche, et causent parfois l'effondrement de galeries et de tunnels. Les mineurs les craignent par-dessus tout.

Les taraudeurs s'efforcent d'éloigner les humains du territoire qu'ils se sont choisi en produisant des sons mystérieux, au rythme oppressant. Si cette forme d'intimidation ne suffit pas, ils tentent d'assommer à coups de pierres ceux qu'ils considèrent comme des intrus.

Ils se rassemblent parfois en grand nombre dans les mines abandonnées, mettant en grand danger la vie de quiconque s'aventurerait là. Ils ne provoquent des éboulements que si la galerie présente une faille ; s'ils découvrent une faiblesse dans la structure du rocher, ils font aisément céder le plafond, écrasant leurs victimes ou les emprisonnant sous terre, où elles périssent par manque d'air et d'eau*.

Les élémentaux aquatiques

On les trouve principalement dans le nord du Comté, où quantité de créatures de l'obscur comme les sorcières d'eau hantent les lacs, les marais et les rivages. Les *vrilles* comptent parmi les plus dangereux. Ils se manifestent sous la forme d'une spirale lumineuse flottant au-dessus des marécages, et ils entraînent les voyageurs sur le chemin de leur destin. Ils sont trop insaisissables pour être combattus, sauf en cas – rarissime dans le Comté – de forte sécheresse.

Un vrille

* En Grèce, au cœur des monts Pindhos, alors que nous fuyions les ménades, Alice et moi, des taraudeurs ont provoqué l'effondrement de la roche, et nous n'avons évité la mort que de justesse. Tom Ward

Il est alors possible à un épouvanteur d'en enfermer un dans une fosse selon la méthode employée avec les gobelins.

Il y a ensuite les banshies (ou *bean sidhe*, de l'irlandais « femme du sidh » ; le sidh désigne un tumulus donnant accès à l'obscur). Annonciatrices de mort, elles restent la plupart du temps invisibles. On ne les repère qu'à la longue plainte qu'elles poussent chaque nuit à trois reprises. Si ces trois plaintes sont entendues trois nuits de suite à proximité d'une maison, l'un de ses habitants mourra à l'instant où s'élèvera la dernière plainte.

On surprend parfois une banshie occupée à laver un linceul. Des traces de sang sur le drap ou dans l'eau prédisent une mort violente*. Les banshies sont immatérielles et ne laissent derrière elles ni traces de pas ni autre signe de leur passage.

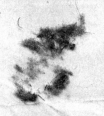

* *L'annonce de mort n'est pas toujours suivie d'effet, ce qui m'incite à penser qu'il s'agit le plus souvent de coïncidences, ou que les gens meurent simplement de peur, accomplissant ainsi la pseudo-prophétie.*
John Gregory

Il n'existe aucun moyen, pour un épouvanteur, de combattre une banshie. Toutefois, elles ne font qu'annoncer des évènements futurs et ne sont pas dangereuses en elles-mêmes*.

Une banshie

* Ne pas les confondre avec les sorcières celtes (aussi appelées sorcières banshies). Tout en imitant le comportement des banshies, elles apportent réellement la mort à la victime qu'elles ont choisie. Ces sorcières vénèrent une Ancienne Déesse, la Morrigan, qui apparaît souvent sous la forme d'un corbeau. John Gregory

La Pierre de Cawley

MORTS MYSTÉRIEUSES DANS LE COMTÉ

Les épouvanteurs répertorient depuis toujours les créatures de l'obscur. Petit à petit, année après année, nous apprenons à mieux connaître les menaces qu'elles représentent et nous développons les techniques à même de les contrecarrer ou de limiter leurs effets. Il existe cependant des entités qui défient toutes nos tentatives pour les éliminer. Il y a eu, dans le Comté, bien des morts dues à des causes mystérieuses, encore loin d'être élucidées.

LE CORPS GONFLÉ
D'EMILY JANE HUDSON

Emily Jane Hudson avait habité Ormskirt toute sa vie, mais elle s'était alitée deux ans avant que sa triste situation soit portée à ma connaissance. Des médecins la visitaient régulièrement, sans réussir à traiter son étrange affection.

Quand je la vis, elle était encore en vie. J'avais été appelé à son chevet par le docteur Gill, avec qui j'avais travaillé à plusieurs reprises dans le passé. C'était un homme intelligent, à l'esprit ouvert, conscient du rôle joué dans le Comté par les serviteurs de l'obscur, et toujours prêt à suivre mes conseils.

Je crus d'abord avoir affaire à un simple cas d'obésité ; mais, quand le médecin, élevant une chandelle, repoussa légèrement le drap, le spectacle qu'offrait la malheureuse femme me consterna. Son visage, ses épaules et son cou étaient affreusement enflés, sans présenter pourtant la moindre trace de graisse. Sa peau rougie était distendue comme si on lui avait injecté sous la peau des litres et des litres de sang. J'en voyais pour preuve les nombreuses marques de piqûres de chaque côté de son cou et sur ses épaules.

On a connu dans le Comté de nombreux cas de vivants vidés de leur sang. Les sorcières en sont habituellement responsables. Parfois, elles assèchent totalement le corps de leur victime. Dans d'autres circonstances, elles se servent par petites quantités au fil des jours ou des semaines. Je n'avais encore jamais rencontré ce genre de situation : du sang ajouté et non soustrait.

Je fus incapable de venir en aide à la pauvre Emily. Deux heures plus tard, elle était morte. Heureusement, le prêtre accepta qu'elle soit inhumée dans le cimetière de la paroisse, ce qui fut une consolation pour sa famille.

Je dus ajouter cette mort mystérieuse à mon registre. Je supposai qu'une sorcière ou une entité d'un type inconnu avait utilisé le corps d'Emily comme réserve de sang pour quelque futur rituel. Mais, bien qu'ayant surveillé la tombe pendant des semaines, je ne vis jamais aucune créature de l'obscur tenter de le récupérer.

LE CRIPEUR
DE LA PIERRE DE CAWLEY

Bien des décès inexpliqués ont été recensés non loin de la saillie rocheuse appelée la Pierre de Cawley. Les victimes furent d'abord des animaux : moutons, lapins, hermines, écureuils. Puis on m'appela à deux reprises pour enquêter sur des cas humains. Le premier était un ermite qui résidait dans le bois voisin. La deuxième fois, je vins examiner la dépouille d'un berger qui avait poursuivi une brebis égarée dans une faille du rocher.

L'homme et la bête étaient morts, mais leurs corps ne portaient pas la moindre trace de violence.

La Pierre de Cawley a une particularité. À environ six pieds du sol, sur sa face nord, on distingue une figure probablement sculptée à une époque très ancienne. Le temps et les éléments l'ont usée, et elle pourrait aussi bien être le résultat de l'érosion naturelle. Quoi qu'il en soit, elle évoque une tête surmontant des épaules et des bras musculeux. Sous un certain éclairage, en particulier juste avant le coucher du soleil, elle semble vouloir s'extirper de la roche. Si c'est le cas, espérons qu'elle n'achèvera jamais sa lente évasion, car cette représentation a quelque chose de très effrayant.[*]

Certains prétendent qu'elle sort peu à peu, parce qu'ils se souviennent d'un temps où elle était beaucoup moins apparente. Je ne me fie guère à la mémoire humaine, qui est sujette à caution. Mais j'ai pu parler à Jonathan Brown, le plus vieil habitant du village voisin. Il m'a raconté que, dans sa jeunesse, s'étant approché de la Pierre de Cawley, où il avait un rendez-vous galant, il l'avait examinée de près. C'était un artiste, spécialisé dans les paysages et les monuments locaux comme les églises. Il avait profité de l'occasion pour exécuter un croquis, s'efforçant selon son habitude de le faire aussi précis que possible. Après toutes ces années, il l'avait toujours en sa possession, et il me l'a montré.

Sur son dessin, le personnage était plus profondément enfoncé dans le roc, un seul bras en émergeait. En examinant quelques-unes de ses autres œuvres, je fus frappé par son sens du détail, en particulier dans sa représentation de la gargouille du Fléau, qui domine le grand portail de la cathédrale de Priestown. Qu'il ait rendu le Cripeur avec autant de précision, tel qu'il l'avait vu à cette époque, était donc très intéressant pour moi.

[*] Je suis passé près de la Pierre de Cawley au coucher du soleil, en compagnie de mon maître, John Gregory, et nous avons examiné le Cripeur. Il avait l'air de s'extirper de la roche, et son aspect était très effrayant. J'ai remarqué que, tout le temps que nous sommes restés là, il régnait un silence anormal : pas un souffle de vent, pas un chant d'oiseau.   Henry Burrows, apprenti

Ce que je crains, c'est que nous soyons en présence d'un nouvel élémental de type terrestre. Il est fort possible que ce personnage de pierre ait été vénéré jadis, et qu'on lui ait offert des sacrifices sanglants, ce qui l'aurait éveillé, lui donnant conscience de son identité.

J'ignore comment il tue les êtres qui passent à sa portée. Mais nous devrons être d'autant plus attentifs à son évolution qu'il semble échapper lentement à sa prison de rocher. S'il y réussit un jour, ce ne sera sans doute plus de ma responsabilité. Quoi qu'il en soit, un prochain épouvanteur aura certainement à combattre cette nouvelle entité.

LE MYSTÈRE DE LA VIGNE RAMPANTE

À la fin du mois d'août, l'année de mes cinquante ans, on me fit venir de Chipenden pour étudier une mort qui défiait toute explication.

Une certaine Agatha Anderton, suspectée d'être sorcière, était surveillée de loin, depuis longtemps, par des voisins méfiants. J'avais eu un jour l'occasion de lui parler, et je n'avais rien trouvé en elle qui me paraisse conforter ces allusions malveillantes. Bien que fort avancée en âge, Agatha était vive et alerte, et – selon moi – dépourvue de toute malice. Je la rangeai sans hésitation dans la catégorie des *faussement accusées*.

Cette fois, je fus appelé pour constater l'état de sa maison et de son jardin. Celui-ci était envahi par une curieuse vigne rampante qui avait étouffé la pelouse et les fleurs. Pire encore, elle courait sur son cottage, recouvrant les murs, les portes et les fenêtres d'une profusion de petites fleurs rouges à l'odeur écœurante. Aucune fumée ne sortait plus de la cheminée depuis des jours, et les voisins attribuaient ces phénomènes à quelque sorcellerie.

Bien que fraîchement poussée, la vigne était robuste, avec des sarments durs et ligneux. Je dus employer une hache pour dégager la porte d'entrée. À l'intérieur, alors que midi allait sonner, je fus obligé d'allumer une lanterne tant les pièces étaient obscures. Arrivé dans la chambre, j'eus du mal à en croire mes yeux.

La vigne jaillissait du corps même de la pauvre Agatha. Les tiges s'étaient faufilées à travers le plancher après avoir fait éclater le lit de bois sur lequel la vieille femme gisait, dans un état de décomposition avancé. Sa mort remontait à quelque temps déjà. Mais le plus horrible était de voir ce que la vigne avait fait à son corps. Des fleurs s'épanouissaient sur sa chair morte, sur ses pieds et sur ses mains ; des tiges qui lui sortaient des yeux et des oreilles s'enroulaient autour de son cou. La plante rampante se servait d'elle comme d'un terreau pour alimenter sa sinistre prolifération.

Aussi difficile que ce fût, il fallut la détacher de son lit. Un prêtre vint prononcer des prières sur sa dépouille. Néanmoins, il ne l'autorisa pas à reposer en terre consacrée. Il me laissa seulement, à contrecœur, enterrer ses restes à l'extérieur du cimetière. La vigne continua de pousser hors de la tombe, bien que plus lentement. Elle forme désormais une futaie dense et noueuse dont personne, ni humains ni animaux, n'ose s'approcher. Après tant d'années, elle couvre une surface circulaire d'environ cent pas de diamètre. Quand je dis « circulaire », ce n'est pas tout à fait exact. La zone s'étend dans toutes les directions sauf une : elle s'arrête à la lisière du cimetière, qu'elle encercle presque entièrement sans pouvoir cependant pénétrer sur le sol sacré.

Que s'est-il passé ? Cela demeurera une énigme. Des forces obscures ont été à l'origine de ce phénomène, c'est certain. Mais, qu'elles aient été invoquées par Agatha Anderton ou par quelqu'un d'autre, nous ne le saurons jamais. S'il a été fait usage de magie noire, il s'agit d'un sortilège inconnu des sorcières du Comté, ce qui laisse supposer l'intervention d'une créature étrangère.

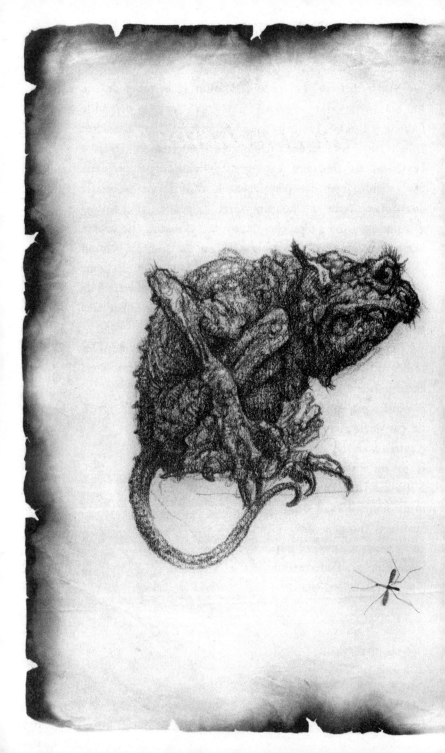

En conclusion

Ce Bestiaire, mon répertoire personnel des manifestations de l'obscur, est le seul livre rescapé d'une précieuse collection d'ouvrages.

Quand, au retour de notre périple en Irlande, j'ai découvert ma bibliothèque détruite par l'incendie de ma maison, j'ai éprouvé un sentiment de perte inexprimable. Des mots écrits par des générations d'épouvanteurs, une fabuleuse réserve de connaissances, l'héritage d'années sans nombre consacrées à contrer le pouvoir toujours grandissant de l'obscur étaient partis en fumée. J'étais leur gardien, je me devais de les enrichir et de les préserver pour le futur. Et il n'en restait rien.

Ce coup terrible m'a littéralement mis à genoux : j'avais failli à ma tâche. Depuis, j'ai eu le temps de repenser à tous ces évènements ; je me sens empli d'une force et d'une détermination nouvelles. Mon combat contre l'obscur continue. Un jour, je reconstituerai ma bibliothèque, et ce livre, mon Bestiaire, sera le premier à être replacé sur ses étagères.

John Gregory
de Chipenden

L'AUTEUR

Joseph Delaney vit en Angleterre, dans le Lancashire.
Il a trois enfants et sept petits-enfants.
Sa maison est située sur le territoire des Gobelins.
Dans son village, l'un d'eux, surnommé le Frappeur,
est enterré sous l'escalier d'une maison, près de l'église.

L'ILLUSTRATEUR

Julek Heller, d'origine polonaise, est né en 1944.
Ses parents ont fui la Pologne en 1947, et sont venus
s'installer au Royaume-Uni. Il vit aujourd'hui
à Londres avec sa femme et ses quatre enfants.
Il donne vie, par la seule force de son trait,
à des créatures issues de mythes et de légendes.